MOI, JE PARLE FRANÇAIS !

MOI, JE PARLE FRANÇAIS !

NIVEAU 4

ANNE-MARIE CONNOLLY

Guérin

800, boulevard Industriel, bureau 200
Saint-Jean-sur-Richelieu (Québec) J3B 8G4
☎ 514 842-3481 📞 514 842-4923
Courriel : info@guerin-editeur.qc.ca
www.guerin-editeur.qc.ca

Dépôt légal

ISBN 2-7601-5749-0
ISBN 978-2-7601-5749-1

Bibliothèque nationale du Québec, 2001
Bibliothèque nationale du Canada, 2001

IMPRIMÉ AU CANADA

Révision linguistique: Colette Tanguay
Illustrations: Toan

Nous reconnaissons l'appui du gouvernement du Canada.

LE «PHOTOCOPILLAGE» TUE LE LIVRE

INTRODUCTION

Cette série de cinq cahiers d'exercices vient compléter de façon graduelle, systématique et amusante l'apprentissage du français oral. L'objectif général est d'apprendre à écrire et à lire ce qu'on est capable de dire.

Les cinq cahiers correspondent aux cinq premiers niveaux, de 90 heures chacun, que l'on adopte généralement dans les cours. Ils reprennent les objectifs spécifiques de l'apprentissage du français oral, tels qu'ils sont formulés dans la plupart des méthodes audiovisuelles.

Le contenu de chaque leçon est toujours présenté en situation, dans des phrases types qui permettent de repérer les structures de la langue et d'en dégager le fonctionnement de façon intuitive. Suivent différents modèles d'exercices: exercices en images, exercices structuraux, exercices d'expression dirigée. Le corrigé de tous ces exercices se trouve à la fin du cahier, ce qui permet de favoriser l'individualisation de l'apprentissage. Une cassette audio d'exercices oraux d'une durée de soixante minutes vient compléter la pratique de l'écrit. Le contenu de ces exercices oraux est transcrit intégralement à la fin de chaque leçon.

À la suite des vingt leçons que comporte chacun de ces cahiers figure un ensemble d'exercices de révision qui reprennent, sous différentes formes, les notions acquises. Aucun corrigé n'étant proposé, ces exercices pourront servir de tests ou d'examens dans la salle de classe.

Ainsi conçu, *Moi, je parle français* représente un outil efficace et agréable pour faciliter l'acquisition du français langue seconde.

OBJECTIFS DU NIVEAU 4

LEÇON 1
- L'interrogation.
- Les expressions idiomatiques avec *faire*:
  faire attention, semblant, plaisir, exprès, mal, peur, honte.

LEÇON 2
- Le style indirect au passé.

LEÇON 3
- Les pronoms possessifs:
  le mien, le tien, le sien, le nôtre, le vôtre, le leur.
- Les pronoms démonstratrifs:
  celui, celle, ceux, celles.

LEÇON 4
- Le conditionnel présent.

LEÇON 5
- La locution *ne ... que.*
- La comparaison:
  plus, aussi, même, autant, comme.

LEÇON 6
- Les verbes et les expressions qui introduisent un subjonctif:
  vouloir, souhaiter, désirer, regretter, exiger, il est préférable, il est possible, je suis content...

LEÇON 7
- La proposition conditionnelle à l'imparfait introduite par *si.*

LEÇON 8
- Le verbe *faire* suivi d'un infinitif.

LEÇON 9
- Le participe passé au féminin.

LEÇON 10
- La voix passive.

LEÇON 11
- Les adjectifs indéfinis:
  autre, chaque, certains, même, aucun, tout, plusieurs, quelques, tel.
- Les pronoms indéfinis:
  tout, quelqu'un, quelques-uns, quelque chose, personne, rien, plusieurs, certains, l'un, l'autre, chacun, aucun, la plupart.

LEÇON 12
- Le superlatif:
  le plus, le moins, le mieux, le meilleur, le pire.

LEÇON 13
- Les pronoms personnels *en* et *y.*

LEÇON 14
- Les pronoms personnels compléments placés devant le verbe.

LEÇON 15
- L'imparfait d'habitude.
- Le verbe *avoir* suivi d'un nom et d'un infinitif introduit par *à.*

LEÇON 16
- Le gérondif.

LEÇON 17
- Les verbes pronominaux du 3e groupe:
  se souvenir, se taire, s'endormir, se comprendre, s'apercevoir, se servir, se rendre, s'évanouir.

LEÇON 18
- Le futur antérieur.

LEÇON 19
- L'expression *n'importe* suivie de *qui, quoi, où, quand, comment, quel.*

LEÇON 20
- La concordance des temps.

Qui ? Où ? Quand ? Comment ? Pourquoi ?

Les mots interrogatifs

- Qui êtes-vous ?
- Où étiez-vous hier à minuit ?
- À qui avez-vous parlé ?
- Qui avez-vous rencontré ?
- D'où avez-vous téléphoné ?

- Quand êtes-vous rentré ?
- Par où êtes-vous passé ?
- Comment avez-vous ouvert la porte ?
- Jusqu'où êtes-vous allé ?
- Pourquoi êtes-vous revenu ?

- Quel est votre nom ?
- Quelle est votre adresse ?
- Quel jour sommes-nous ?

- À quelle heure avez-vous appelé ?
- Par quelle rue êtes-vous revenu ?
- Avec quels amis êtes-vous sorti ?

| Qui est-ce qui...?/Qui...? | Qu'est-ce qui...?/Qu(e)...? |
Qui est-ce qui...?	Qu'est-ce que...?
Qui est-ce qui est parti ?	Qui est parti ? ⎫
Qui est-ce que tu attends ?	Qui attends-tu ? ⎭ – Madeleine.
Qu'est-ce qui est en retard ?	
Qu'est-ce que tu attends ?	Qu'attends-tu ? – L'autobus

EXERCICE 1

Exemple: Qu'est-ce que vous prenez ?

Que prenez-vous ?

1. Qu'est-ce qui ce passe ?

    Que se passe t'il?

2. Qu'est-ce que vous faites ?

    Que faites - vous?

3. Qu'est-ce que tu as dit ?

    Que as- tu dit?

4. Qu'est-ce qui vous arrive ?

   _____

5. Qu'est-ce que tu deviens ?

   _____

6. Qu'est-ce que vous voulez ?

   _____

7. Qu'est-ce que tu as décidé ?

   _____

EXERCICE 2

Qui est-ce que tu attends?

Madeleine!

Qu'est-ce que vous attendez?

L'autobus!

Exemple: Qui est-ce que tu attends?

| *Madeleine* | l'autobus |

Qu'est-ce que vous attendez?

| Madeleine | *l'autobus* |

1. Qui est-ce qui fait ce bruit?

| le vent | les voisins |

2. Qu'est-ce qui fait ce bruit?

| le vent | les voisins |

3. Qu'est-ce qu'elle aime?

| la danse | le beau Paul |

4. Qui est-ce qu'elle aime?

| la danse | le beau Paul |

5. Qui est-ce qui est trop petit?

| mon frère | mon chapeau |

6. Qu'est-ce qui est trop petit?

| mon frère | mon chapeau |

7. Qu'est-ce que tu as demandé?

| un café | la serveuse |

8. Qui est-ce que tu as demandé?

| un café | la serveuse |

9. Qu'est-ce qu'il vous a répondu?

| rien | personne |

10. Qui est-ce qui vous a répondu?

| rien | personne |

Les mots interrogatifs

Quel	jour		Où		
De quel	côté		Par où	ira-t-elle?	
À quelle	heure	arrivera-t-elle?	Jusqu'où		
Par quelle	rue				
Avec quels	amis		D'où		
			Quand	repartira-t-elle?	
Depuis quand	est-elle partie?		Comment		
Jusqu'à quand	restera-t-elle?		Pourquoi		

EXERCICE 3

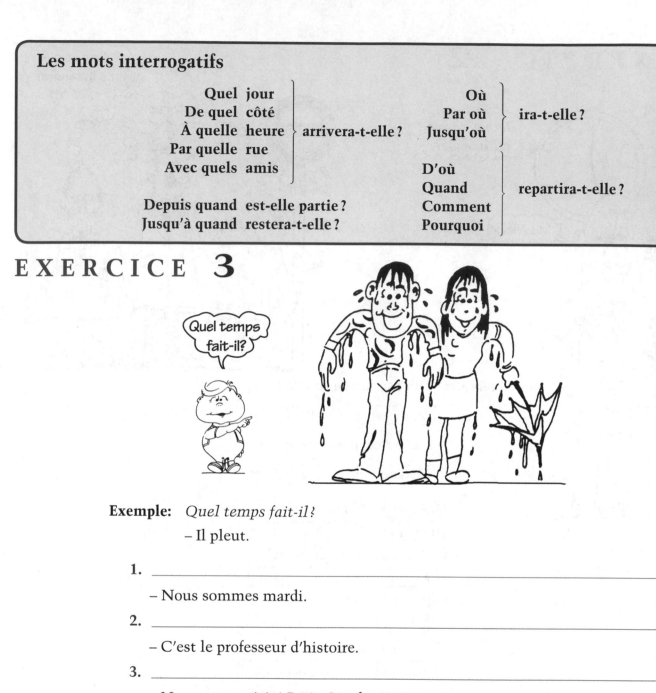

Exemple: *Quel temps fait-il?*
— Il pleut.

1. _____

— Nous sommes mardi.

2. _____

— C'est le professeur d'histoire.

3. _____

— Nous avons visité Paris, Londres et Rome.

4. _____

— Il demeure du côté d'Ottawa.

5. _____

— On ramasse les ordures à huit heures.

6. _____

— L'autobus arrivait de la rue Sainte-Catherine.

7. _____

— Il a tourné dans la rue Guy.

8. _____

— Elle est passée par la fenêtre de la cuisine.

EXERCICE 4

Exemple: *Où allez-vous?*
   – Nous allons en Floride.

1. _____
   – Il vient de la campagne.

2. _____
   – Nous sommes passés par Vancouver.

3. _____
   – Ils sont arrivés hier soir.

4. _____
   – Elle est partie depuis trois jours.

5. _____
   – Nous allons rester jusqu'à Noël.

6. _____
   – Je suis venue en train.

EXERCICE 5

Exemple: À *qui ressemble-t-il?*   À *quoi le reconnais-tu?*
   – Il ressemble à son père.   – Je le reconnais à ses yeux.

1. Avec _____
   – Elle joue avec ses amies.

2. Avec _____
   – Elle joue avec ses poupées.

3. De _____
   – Il a peur de son père.

4. De _____
   – Il a peur du noir.

5. À _____
   – Je rêve à cette maison.

6. À _____
   – Je rêve à cette fille.

Je fais attention de ne pas tomber...

Faire attention, exprès, honte, mal, peur, plaisir, semblant

Tu fais
- attention   de   ne pas tomber.
- semblant   de   (ne pas) comprendre.
- exprès   de   (ne pas) rire.

Elle fait
- plaisir   à   sa mère.
- mal   à   sa sœur.
- peur   à   son frère.
- honte   à   sa famille.

→ Elle lui fait
- plaisir.
- mal.
- peur.
- honte.

Fais bien attention
- à la peinture.
- au bébé.

→ Fais-y bien attention.
Fais bien attention à lui.

Ne fais pas semblant de dormir !
Ne fais pas mal à ton petit frère !
Ne me fais pas honte !
Fais-moi plaisir !

EXERCICE 6

Exemple: Qu'est-ce qu'ils font?
  – *Ils font semblant de dormir.*

1. À qui est-ce qu'il fait plaisir ?

_____

2. Qui est-ce qui lui a fait mal ?

_____

3. Qu'est-ce qui lui fait peur ?

_____

4. Qu'est-ce qu'il fait ?

_____

5. Qu'est-ce qu'elle fait ?

_____

EXERCICE 7

le travail	faire peur	au feu
la drogue	faire attention	aux amoureux
les visites	faire mal	aux parents
les campeurs	faire plaisir	aux dents
les facteurs		aux enfants
les cadeaux		aux pieds
les bonbons		aux paresseux
la séparation		aux chiens
les talons hauts		aux malades

Exemple: *Le travail fait peur aux paresseux.*

1. _____

2. _____

3. _____

4. _____

5. _____

6. _____

7. _____

8. _____

EXERCICE 8

À qui est-ce que… /À quoi est-ce que… /De quoi est-ce que…
Qui est-ce qui… /Qu'est-ce qui…

Exemple: *À qui est-ce que* le travail fait peur ? → Aux paresseux.

1. _____ fait attention au feu ? → Les campeurs.

2. _____ la drogue fait peur ? → Aux parents.

3. _____ fait mal aux pieds ? → Les talons hauts.

4. _____ fait plaisir aux enfants ? → Les bonbons.

5. _____ les parents ont peur ? → La drogue.

6. _____ les visites font plaisir ? → Aux malades.

7. _____ fait attention aux chiens ? → Les facteurs.

8. _____ les campeurs font attention ? → Au feu.

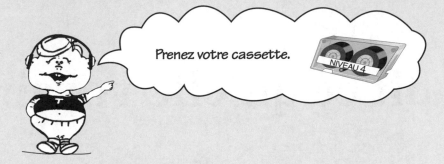

Prenez votre cassette. NIVEAU 4

ÉCOUTEZ ET RÉPÉTEZ.

1. Quand je suis arrivé au Québec, on m'a posé beaucoup de questions.

2. Qui êtes-vous ?

3. D'où venez-vous ?

4. Depuis quand êtes-vous arrivé ici ?

5. Qu'est-ce que vous faites dans la vie ?

6. Pourquoi avez-vous choisi d'habiter à Montréal ?

ÉCOUTEZ ET REPRENEZ.

1. Qu'est-ce que vous voulez?
   Que voulez-vous ?

2. Qu'est-ce que vous faites?
   Que faites-vous ?

3. Qu'est-ce que vous prenez?
   Que prenez-vous ?

4. Qu'est-ce que tu deviens?
   Que deviens-tu ?

5. Qu'est-ce que tu as dit?
   Qu'as-tu dit ?

ÉCOUTEZ LA RÉPONDEZ ET POSEZ LA QUESTION.

1. Il fait beau.
   – Quel temps fait-il ?

2. Nous sommes mardi.
   – Quel jour sommes-nous ?

3. Nous avons visité Paris, Londres et Rome.
   – Quelles villes avez-vous visitées ?

4. Il vient de la campagne.
   – D'où vient-il ?

5. Elle est partie depuis trois jours.
   – Depuis quand est-elle partie ?

6. Je suis venue en train.
   – Comment es-tu venue ?

Elle t'a dit ce qu'elle voyait?

Le style indirect au passé

«Quelle heure est-il?»		quelle heure il était.
«Comment vas-tu?»		comment j'allais.
«Qu'est-ce que tu lis?» →	Il m'a demandé	ce que je lisais.
«Est-ce que c'est bien?»		si c'était bien.
«Pourquoi ris-tu?»		pourquoi je riais.

	Il a dit	
	Il a constaté	
	Il a affirmé	
« Je vous aime.» →	Il a reconnu	qu'il m'aimait.
	Il a avoué	
	Il a murmuré	
	Il a ajouté	
	Il a crié	

EXERCICE 1

Exemple: *Il lui a demandé ce qu'elle préparait.*

1. Il leur a demandé ce qu'ils cherchaient

2. Il lui a demandé ce qu'il lisait

3. Il lui a demandé ce qu'il mangeait

4. Il lui a demandé ce qu'il regardait

5. Elle leur a demandé ce qu'ils voulaient

E X E R C I C E 2

Exemple: Il a déclaré: «Mes parents ne me comprennent pas.»

Il a déclaré que ses parents ne le comprenaient pas.

1. Tu as affirmé: «Je ne fais plus confiance à mon fils.»

   _____

2. Vous avez reconnu: «Nous ne nous aimons plus.»

   _____

3. Ils ont avoué: «Nous nous sommes mariés trop jeunes.»

   _____

4. Il a murmuré: «Je préfère ne pas te revoir.»

   _____

5. Elle a ajouté: «Tu peux t'en aller.»

   _____

E X E R C I C E 3

Tu n'es pas gentil!

Exemple: «Tu n'es pas gentil!»

Il lui a dit *qu'il n'était pas gentil.*

1. «Tu es obligé de nous obéir.»

   Nous lui avons dit _____

2. «Vous ne m'écoutez jamais.»

   Elle vous a dit _____

3. «Je ne peux pas te suivre.»

   Il m'a dit _____

4. «Nous ne sommes pas contents de vous.»

   Vous leur avez dit _____

5. «Nous ne voulons plus vous parler.»

   Ils nous ont dit _____

EXERCICE 4

Comment t'appelles-tu?
Que fais-tu là?
Quel âge as-tu?
Où sont tes parents?
Pourquoi ne réponds-tu pas?
Es-tu sourd?

Exemple: *Il m'a demandé comment je m'appelais,*

1. _____

2. _____

3. _____

4. _____

5. _____

Exemple: *Nous lui avons demandé comment il s'appelait,*

6. _____

7. _____

8. _____

9. _____

10. _____

EXERCICE 5

Exemple: Ils ont ___*raconté*___ que nous ___*étions*___ malades.
         (raconter)   (être)

1. Tu _____ que tu _____ dans une banque.
    (déclarer)   (travailler)

2. Je _____ ce qu'il _____ .
    (se demander)   (faire)

3. Il _____ qu'il _____ .
    (répondre)   (dormir)

4. Elle _____ qu'elle _____ 18 ans.
    (jurer)   (avoir)

5. Ils _____ qu'ils _____ canadiens.
    (affirmer)   (être)

6. Il _____ qu'il _____ Julie .
    (avouer)   (aimer)

7. Nous _____ qu'il _____ .
    (constater)   (pleuvoir)

8. Vous _____ que je _____ .
    (voir)   (pleurer)

Prenez votre cassette.

NIVEAU 4

ÉCOUTEZ ET RÉPÉTEZ.

1. J'ai rencontré Pierre hier soir.

2. Il m'a demandé si j'avais de tes nouvelles.

3. Je lui ai répondu que je ne te voyais pas souvent.

4. Il m'a avoué qu'il t'aimait encore.

ÉCOUTEZ ET REPRENEZ.

1. Comment t'appelles-tu?
   – Je t'ai demandé comment tu t'appelais.

2. Que fais-tu là?
   – Je t'ai demandé ce que tu faisais là.

3. Quel âge as-tu?
   – Je t'ai demandé quel âge tu avais.

4. Où sont tes parents?
   – Je t'ai demandé où étaient tes parents.

5. Pourquoi ne réponds-tu pas?
   – Je t'ai demandé pourquoi tu ne répondais pas.

ÉCOUTEZ ET RÉPONDEZ.

1. «Quelle heure est-il?»
   Qu'est-ce quelle t'a demandé?
   – Elle m'a demandé quelle heure il était.

2. «Comment vas-tu?»
   Qu'est-ce qu'elle t'a demandé?
   – Elle m'a demandé comment j'allais.

3. «Qu'est-ce que tu lis?»
   Qu'est-ce qu'elle t'a demandé?
   – Elle m'a demandé ce que je lisais.

4. «Est-ce que c'est intéressant?»
   Qu'est-ce qu'elle t'a demandé?
   – Elle m'a demandé si c'était intéressant.

C'est le mien!

Les pronoms possessifs

Ce ballon est Ces ballons sont	à toi? à moi? à lui? à elle? à nous? à vous? à eux? à elles?	→ Oui,	c'est ce sont	le(s) mien(s). le(s) tien(s). le(s) sien(s). le(s) sien(s). le(s) nôtre(s). le(s) vôtre(s). le(s) leur(s). le(s) leur(s).
Cette balle est Ces balles sont	à toi? à moi? à lui? à elle? à nous? à vous? à eux? à elles?	→ Oui,	c'est ce sont	la (les) mienne(s). la (les) tienne(s). la (les) sienne(s). la (les) sienne(s). la (les) nôtre(s). la (les) vôtre(s). la (les) leur(s). la (les) leur(s).

EXERCICE 1

Exemple: C'est votre usine?

– Oui, $\begin{cases} \textit{c'est la mienne.} \\ \textit{c'est la nôtre.} \end{cases}$

1. C'est ton atelier?

   _____

2. Ce sont mes outils?

   _____

3. C'est votre ordinateur?

   _____

4. C'est mon bureau?

   _____

5. C'est votre entreprise?

   _____

6. Ce sont vos ouvriers?

   _____

7. Ce sont tes employés?

   _____

8. Ce sont nos associées?

   _____

EXERCICE 2

Exemple: Défendez vos intérêts.
   Défendez les vôtres.

1. Exposez votre idée.

   _____

2. Rejetez ses offres.

   _____

3. Garde ta position.

   _____

4. Écoutez son discours.

   _____

5. Acceptez notre proposition.

   _____

6. Occupez-vous de vos affaires.

   _____

7. Signons leurs documents.

   _____

Défendez
vos intérêts!

EXERCICE 3

Exemple

1.

2.

3.

4.

5.

E X E R C I C E 4

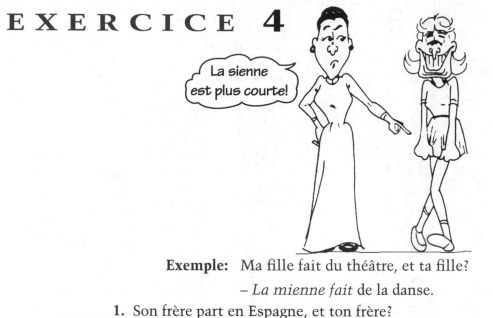

La sienne est plus courte!

Exemple: Ma fille fait du théâtre, et ta fille?
– *La mienne fait* de la danse.

1. Son frère part en Espagne, et ton frère?
   _____ au Maroc.

2. Sa famille est originaire d'Écosse, et votre famille?
   _____ d'Irlande.

3. Ses enfants apprennent l'anglais, et vos enfants?
   _____ le français.

4. Tes amis font du ski, et ses amis?
   _____ du patin.

5. Ta sœur se marie en juin, et sa sœur?
   _____ en septembre.

6. Mes parents habitent en Grèce, et leurs parents?
   _____ au Portugal.

E X E R C I C E 5

Exemple: C'est le style de vie de ma sœur.
C'est son style de vie, c'est le sien.

1. C'est l'état d'esprit de mes amis.
   _____

2. C'est le point de vue de mon professeur.
   _____

3. C'est la manière d'agir de mes parents.
   _____

4. C'est la façon de parler de ma belle-mère.
   _____

5. C'est la proposition de mon voisin.
   _____

6. C'est l'opinion des lecteurs.
   _____

Les pronoms démonstratifs   celui, celle, ceux, celles

C'est le député de l'Alberta?
– Oui, { c'est lui.
c'est celui de l'Alberta.

C'est la candidate du parti?
– Oui, { c'est elle.
c'est celle du parti.

Ce sont les ministres des Prairies?
– Oui, { ce sont eux.
ce sont ceux des Prairies.

Ce sont les électrices d'Ottawa?
– Oui, { ce sont elles.
ce sont celles d'Ottawa.

Voici { celui pour qui j'ai voté.
celle qui se présente aux élections.
ceux que nous avons élus.
celles à qui il doit s'adresser.

Celui-ci est conservateur, celle-là est libérale.
Ceux-ci sont manitobains, celles-là sont ontariennes.

EXERCICE 6

Exemple: – *Oui, c'est le sien.*
C'est celui de Gérard.

1. _____

2. _____

3. _____

4. _____

5. _____

EXERCICE 7

C'est elle!

Exemple: Présente-moi l'amie avec qui tu dois sortir.

Présente-moi celle *avec qui tu dois sortir.*

1. Choisis **les chaises** qui sont les plus solides.

   _____

2. Finissez **le travail** que vous avez commencé.

   _____

3. Punis **les enfants** qui ont fait du bruit.

   _____

4. Danse avec **le garçon** que tu préfères.

   _____

5. Écrivez **aux étudiantes** qui ne pourront pas venir.

   _____

6. Travaille pour **le patron** qui est le plus honnête.

   _____

7. Rendez **les livres** que vous n'utilisez plus.

   _____

8. Montre-moi **la maison** qui est à vendre.

   _____

EXERCICE 8

Exemple: C'est la politique du premier ministre.

C'est celle *du premier ministre.*

1. Ce sont **les promesses** des candidats.

   _____

2. C'est **le plan** du gouvernement.

   _____

3. Ce sont **les choix** des électeurs.

   _____

4. C'est **la ligne** du parti.

   _____

5. C'est **la candidate** de l'opposition.

   _____

6. Ce sont **les dépenses** de la campagne électorale.

   _____

Prenez votre cassette.

NIVEAU 4

ÉCOUTEZ ET RÉPÉTEZ.

1. Oh la belle voiture! C'est ta voiture? Elle est à toi?

2. Non, ce n'est pas la mienne, c'est celle de mon père.

3. La mienne est au garage, alors il me prête la sienne.

4. Tu es chanceux. Mes parents ne veulent jamais que je conduise la leur.

ÉCOUTEZ ET RÉPONDEZ.

1. Tu as donné «ton» adresse?
   – Oui, j'ai donné la mienne.

2. Il a pris «mes» clés?
   – Oui, il a pris les tiennes.

3. Tu as trouvé «son» numéro de téléphone?
   – Oui, j'ai trouvé le sien.

4. Vous avez acheté «sa» maison?
   – Oui, nous avons acheté la sienne.

5. Vous avez accepté «leur» proposition?
   – Oui, nous avons accepté la leur.

ÉCOUTEZ ET RÉPONDEZ.

1. C'est le chalet de ta sœur?
   – Oui, c'est celui de ma sœur. C'est le sien.

2. C'est la voiture de ton père?
   – Oui, c'est celle de mon père. C'est la sienne.

3. Ce sont les outils du voisin?
   – Oui, ce sont ceux du voisin. Ce sont les siens.

4. Ce sont les clés du concierge?
   – Oui, ce sont celles du concierge. Ce sont les siennes.

Pourriez-vous...?

Sans sa télé, il ne pourrait pas vivre!

Le conditionnel présent

Pouvez-vous/Pourriez-vous	
Voulez-vous/Voudriez-vous	
Venez-vous/Viendriez-vous	dîner
Allez-vous/Iriez-vous	avec moi
Avez-vous/Auriez-vous le temps de	ce soir?
Êtes-vous/Seriez-vous d'accord pour	
Me faites-vous/Me feriez-vous l'honneur de	

J'	aimerais	
Tu	aimerais	
Il	aimerait	
On	aimerait	bien, mais c'est impossible.
Nous	aimerions	
Vous	aimeriez	
Elles	aimeraient	

EXERCICE 1

Exemple

1.

2.

3.

4.

5.

EXERCICE 2

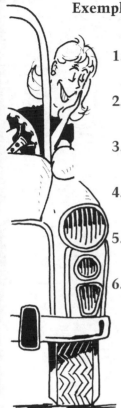

Exemple: On pense que l'homme descend du singe.

L'homme descendrait du singe.

1. On pense que les éléphants vivent jusqu'à cent ans.

   _____

2. On pense que les nouveaux-nés reconnaissent très tôt leur mère.

   _____

3. On pense que les femmes sont plus résistantes que les hommes.

   _____

4. On pense que les Anglais boivent plus de bière que les Allemands.

   _____

5. On pense que les cours d'eau sont de plus en plus pollués.

   _____

6. On pense que l'automobile est plus dangereuse que l'avion.

   _____

EXERCICE 3

Exemple: Je ___*raconterais*___ bien des histoires drôles, mais je n'en connais pas.
(raconter)

1. Nous _____ bien un camion, mais il n'y en a plus.
   (louer)

2. Elle _____ bien un gâteau, mais il n'y a plus de farine.
   (faire)

3. Je _____ bien avec Paul ce soir, mais mon père ne veut pas.
   (sortir)

4. Nous _____ bien skier, mais il fait trop froid.
   (aller)

5. J' _____ bien maigrir, mais je mange toujours trop.
   (aimer)

6. Nous _____ bien dans cette rivière, mais elle est trop polluée.
   (se baigner)

7. Ils _____ bien en vacances, mais ils n'ont plus un sou.
   (partir)

8. Il _____ bien danser, mais il a mal au pied.
   (vouloir)

EXERCICE 4

Exemple: Sans piano, elle ne chante pas.
Avec un piano, elle chanterait.

1. Avec votre permission, j'ose inviter votre fille.

   _____

2. Sans plan de la ville, on n'arrive pas à se diriger.

   _____

3. Avec de l'argent, nous pouvons voyager.

   _____

4. Avec des enfants, tu ne pars pas souvent en vacances.

   _____

5. Sans cravate, vous ne pouvez pas entrer.

   _____

6. Avec une garantie, ils achètent votre voiture.

   _____

EXERCICE 5

chauffage	trouver son chemin
boussole	faire des crêpes
chapeau	manger la soupe
hypothèque	voyager à l'étranger
permis	traverser ce lac
cuillère	rester au soleil
œufs	acheter cette maison
passeport	passer l'hiver ici
canot	conduire une voiture

Exemple: *Sans chauffage, on ne pourrait pas passer l'hiver ici.*

1. _____

2. _____

3. _____

4. _____

5. _____

6. _____

7. _____

8. _____

Prenez votre cassette.

NIVEAU 4

É C O U T E Z   E T   R É P É T E Z .

1. Excusez-moi, auriez-vous la gentillesse de m'aider?
   Je crois que je suis perdu.

2. Je cherche la rue Laurier. Pourriez-vous me dire où elle se trouve?

3. J'aimerais bien vous aider, mais je connais mal le quartier.

4. Je crois cependant que vous iriez plus vite en taxi.

É C O U T E Z   E T   R E P R E N E Z .

1. Je ne joue pas aux échecs. Je ne sais pas.
   Je jouerais bien aux échecs, mais je ne sais pas.

2. Je ne vais pas au cinéma. J'ai du travail.
   J'irais bien au cinéma, mais j'ai du travail.

3. Elle ne sort pas ce soir. Son père ne veut pas.
   Elle sortirait bien ce soir, mais son père ne veut pas.

4. Ils ne partent pas en vacances. Leur enfant est malade.
   Ils partiraient bien en vacances, mais leur enfant est malade.

5. Je ne fais pas de ski. Il n'y a pas assez de neige.
   Je ferais bien du ski, mais il n'y a pas assez de neige.

É C O U T E Z   E T   R E P R E N E Z .

1. Avec de l'argent, nous pouvons voyager.
   Sans argent, nous ne pourrions pas voyager.

2. Avec un plan de la ville, nous pouvons nous diriger.
   Sans plan de la ville, nous ne pourrions pas nous diriger.

3. Avec une voiture, vous allez loin.
   Sans voiture, vous n'iriez pas loin.

4. Avec de l'aide, je termine ce travail ce soir.
   Sans aide, je ne terminerais pas ce travail ce soir.

5. Avec des médicaments, il supporte la douleur.
   Sans médicaments, il ne supporterait pas la douleur.

Leçon 5
Nous n'avons qu'un cheval...

L'expression ne... que

Ils ont seulement un cheval?
— Oui, ils n'ont qu'un cheval.

Ils se déplacent seulement à cheval?
— Oui, ils ne se déplacent qu'à cheval.

Ils voyagent seulement l'été?
— Oui, ils ne voyagent que l'été.

Ils vont seulement aux États-Unis?
— Oui, ils ne vont qu'aux États-Unis.

Ils prennent seulement les petites routes?
— Oui, ils ne prennent que les petites routes.

Ils s'arrêtent seulement dans les villages?
— Oui, ils ne s'arrêtent que dans les villages.

Ils reviennent seulement en septembre?
— Oui, ils ne reviennent qu'en septembre.

EXERCICE 1

E X E R C I C E 2

Exemple: Il fait du ski dans les Rocheuses mais pas dans les Alpes.
Il ne fait du ski que dans les Rocheuses.

1. Elle écrit à sa mère mais pas à son père.

   _____

2. Ils boivent du café mais pas de thé.

   _____

3. J'ai des problèmes avec Jacques mais pas avec Louise.

   _____

4. On parle français mais pas italien.

   _____

5. Elle joue au tennis mais pas au golf.

   _____

6. Tu prends l'avion mais pas le train.

   _____

E X E R C I C E 3

être triste		parler
être gourmand		chanter
être malade		manger
être désolé		courir
être petit		pleurer
être bavard		dormir
être en retard		s'excuser
être heureux		jouer

Exemple: *Quand on est triste, on ne fait que pleurer.*

1. _____
2. _____
3. _____
4. _____
5. _____
6. _____
7. _____

EXERCICE 4

Exemple: On chante ces cantiques seulement à Noël.
Ces cantiques ne se chantent qu'à Noël.

1. On connaît cet artiste seulement au Québec.

_____

2. On ouvre ce restaurant seulement le soir.

_____

3. On enlève la neige seulement de ce côté de la rue.

_____

4. On diffuse cette émission seulement en anglais.

_____

5. On allume le chauffage seulement en novembre.

_____

6. On vend ce produit seulement en pharmacie.

_____

EXERCICE 5

Exemple: Vous allez regarder ⟨ ***toute*** ⟩ la partie ou seulement la fin?
– Nous ne regarderons que la fin.

1. Les enfants vont être en vacances ⟨_____⟩ la semaine ou seulement lundi?

_____

2. Elle va travailler ⟨_____⟩ l'été ou seulement en juillet?

_____

3. Ils vont acheter ⟨_____⟩ le domaine ou seulement le lac?

_____

4. Tu vas repeindre ⟨_____⟩ la maison ou seulement la façade?

_____

5. Vous allez visiter ⟨_____⟩ l'Europe ou seulement l'Italie?

_____

6. Je vais préparer ⟨_____⟩ le repas ou seulement le dessert?

_____

7. Nous allons inviter ⟨_____⟩ la famille ou seulement tes parents?

_____

8. Il va écrire ⟨_____⟩ le livre ou seulement la préface?

_____

La comparaison

Il est
- plus
- aussi
- moins

{ beau qu'avant.
tard que tu penses.
riche que Paul.
jeune que toi.
grand que son père. }

J'ai
- plus d(e)
- autant d(e)
- moins d(e)

{ amis que d'ennemis.
temps que d'argent.
chance que lui.
travail qu' hier.
frères que de sœurs. }

Elle travaille
- au même endroit
- dans le même bureau
- pour la même société
- avec les mêmes employés
- sur les mêmes dossiers

{ que moi.
qu' eux.
qu' autrefois.
qu' il y a deux ans.
que son collègue. }

Tu es
- gentil comme un cœur.
- riche comme Crésus.
- raide comme la justice.
- médecin comme ta mère.

EXERCICE 6

Exemple: Mathilde aime porter des chapeaux et sa sœur aussi.
Mathilde aime autant les chapeaux que sa sœur.
Mathilde s'est acheté un beau chapeau et sa sœur aussi.
Mathilde s'est acheté le même chapeau que sa sœur.

1. Il finit de travailler à 7 heures et Jean aussi.

_____

2. L'hôtel de ville date de 1750 et la bibliothèque aussi.

_____

3. Vous avez vu ce film; moi aussi.

_____

4. Il a très peur et elle aussi.

_____

5. Pierre a trois frères et Suzanne aussi.

_____

6. Elle a ces problèmes; toi aussi.

_____

7. Elles gagnent 200 dollars par semaine et moi aussi.

_____

8. Ils ont déménagé dans cette ville et vous aussi.

_____

9. Sa fille est très intelligente; la mienne aussi.

_____

10. Elle a commencé à travailler à 18 ans; toi aussi.

_____

E X E R C I C E 7

Exemple: Marie va au cinéma trois fois par mois et au théâtre une fois par année.
Elle va au cinéma plus souvent qu'au théâtre.
Elle va au théâtre moins souvent qu'au cinéma.

1. Une maison à Montréal coûte en moyenne cent mille dollars et à Toronto cent cinquante mille.

   _____

   _____

2. Nous habitons un appartement au dixième étage et nos amis au vingtième.

   _____

   _____

3. Jean obtient toujours de bonnes notes à l'école mais pas son frère.

   _____

   _____

4. Hier soir, Louise est rentrée à minuit et avant-hier à deux heures du matin.

   _____

   _____

5. Il lance le poids à quinze mètres et le javelot à cinquante.

   _____

   _____

6. La Corvette roule à 180 km/h et la Maserati à 200.

   _____

   _____

7. En semaine, je me lève toujours à six heures et le dimanche, je fais la grasse matinée.

   _____

   _____

8. Albert a quatre enfants et Alfred en a trois.

   _____

   _____

9. Mon mari chante bien mais pas moi.

   _____

   _____

10. J'aime bien jouer au golf mais pas autant qu'au tennis.

    _____

    _____

EXERCICE 8

dormir	comme une pie
nager	comme un singe
marcher	comme un taureau
manger	comme une oie
être gai	comme une mule
être malin	comme un tigre
être bavard	comme un oiseau
être fort	comme un canard
être rusé	comme un cochon
être sale	comme une écrevisse
être doux	comme une taupe
être aveugle	comme un agneau
être rouge	comme une marmotte
être têtu	comme un poisson
être vaniteux	comme un pinson
être bête	comme un renard
être jaloux	comme un paon

Exemple: *Il dort comme une marmotte.*

1. _____
2. _____
3. _____
4. _____
5. _____
6. _____
7. _____
8. _____
9. _____
10. _____
11. _____
12. _____
13. _____
14. _____
15. _____
16. _____

Prenez votre cassette. NIVEAU 4

ÉCOUTEZ ET RÉPÉTEZ.

1. Chez moi on ne parle que de nourriture.

2. Ma mère ne lit que des livres de recettes.

3. Mon père n'aime que la cuisine italienne.

4. Ma sœur ne mange que des légumes.

5. Mon petit frère ne veut que de la crème glacée.

6. Et moi, je n'apprécie qu'une seule cuisine, la mienne.

ÉCOUTEZ ET REPRENEZ.

1. Elle a seulement une question à poser.
   Elle n'a qu'une question à poser.

2. J'ai seulement une lettre à écrire.
   Je n'ai qu'une lettre à écrire.

3. Vous avez seulement trois paiements à faire.
   Vous n'avez que trois paiements à faire.

4. Tu as seulement un mot à dire.
   Tu n'as qu'un mot à dire.

5. Ils ont seulement des reproches à vous adresser.
   Ils n'ont que des reproches à vous adresser.

ÉCOUTEZ ET RÉPONDEZ.

1. Vous allez regarder toute la partie ou seulement la fin?
   – Nous n'allons regarder que la fin.

2. Elle va travailler tout l'été ou seulement en juillet?
   – Elle ne va travailler qu'en juillet.

3. Tu vas repeindre toute la maison ou seulement la façade?
   – Je ne vais repeindre que la façade.

4. Vous allez visiter toute l'Europe ou seulement l'Italie?
   – Nous n'allons visiter que l'Italie.

Il est possible que...

Il est possible que j'aie de la visite...

Les verbes et expressions suivis du subjonctif

Je suis {	content heureux ravi	} qu'il fasse beau.	Je suis {	triste désolé peiné	} qu'il soit naufragé.
Il est {	possible préférable souhaitable rare	} qu'il ait de la visite.	Il est {	nécessaire indispensable urgent important	} qu'on vienne le chercher.
Nous {	voulons désirons réclamons exigeons	} qu'il puisse repartir.	Nous {	souhaitons détestons défendons regrettons	} qu'il apprenne à naviguer.

{ Je ne suis pas sûr
Je ne crois pas } qu'il sache nager.

Le subjonctif

ÊTRE

Il est possible
- que je sois
- que tu sois
- qu'elle soit
- que nous soyons
- que vous soyez
- qu'elles soient

en retard.

AVOIR

Il est rare
- que j' aie
- que tu aies
- qu'il ait
- que nous ayons
- que vous ayez
- qu'ils aient

de l'argent.

ALLER

Il est préférable
- que j' aille
- que tu ailles
- qu'elle aille
- que nous allions
- que vous alliez
- qu'elles aillent

travailler.

FAIRE

Il est souhaitable
- que je fasse
- que tu fasses
- qu'il fasse
- que nous fassions
- que vous fassiez
- qu'ils fassent

des études.

SAVOIR

Elle exige
- que je sache
- que tu saches
- qu'il sache
- que nous sachions
- que vous sachiez
- qu'ils sachent

nager.

POUVOIR

Elle souhaite
- que je puisse
- que tu puisses
- qu'il puisse
- que nous puissions
- que vous puissiez
- qu'ils puissent

revenir.

DIRE

Il déteste
- que je dise
- que tu dises
- qu'elle dise
- que nous disions
- que vous disiez
- qu'elles disent

des mensonges.

ÉCRIRE

Il veut
- que j' écrive
- que tu écrives
- qu'elle écrive
- que nous écrivions
- que vous écriviez
- qu'elles écrivent

en français.

PRENDRE

Il est ravi
- que je prenne
- que tu prennes
- qu'elle prenne
- que nous prenions
- que vous preniez
- qu'elles prennent

des vacances.

PARTIR

Elle est triste
- que je parte
- que tu partes
- qu'il parte
- que nous partions
- que vous partiez
- qu'ils partent

demain.

EXERCICE 1

EXERCICE 2

C'est urgent !

Exemple: Il doit aller chez le dentiste. C'est urgent.
Il est urgent qu'il aille chez le dentiste.

1. Vous devez écrire au directeur. C'est important.

   _____

2. Nous devons prendre un taxi. C'est préférable.

   _____

3. Il fera beau demain. C'est possible.

   _____

4. Tu dois savoir nager. C'est indispensable.

   _____

5. Je dois être au rendez-vous à 6 heures. C'est essentiel.

   _____

6. Tu devras avoir du courage. C'est nécessaire.

   _____

EXERCICE 3

Exemple: Tu es sûr qu'il dort?
– Non, *je ne suis pas sûr qu'il dorme.*

1. Tu es sûr qu'elle dit la vérité?
   – Non, _____

2. Tu es sûr qu'ils comprennent?
   – Non, _____

3. Tu es sûr que tu te souviens de lui?
   – Non, _____

4. Tu es sûr qu'elles connaissent mon adresse?
   – Non, _____

5. Tu es sûr que nous pouvons partir?
   – Non, _____

6. Tu es sûr qu'elle est invitée?
   – Non, _____

EXERCICE 4

Exemple: Madeleine veut maigrir.

Madeleine veut que je *maigrisse.*

1. Émile désire recevoir les enfants à Noël.

   _____tu _____

2. Paul regrette de partir si tôt.

   _____ vous _____

3. Gilles exige de participer à la réunion.

   _____ nous _____

4. Normand souhaite revenir au Québec.

   _____ sa fille _____

5. Marie veut boire à ta santé.

   _____ tout le monde _____

EXERCICE 5

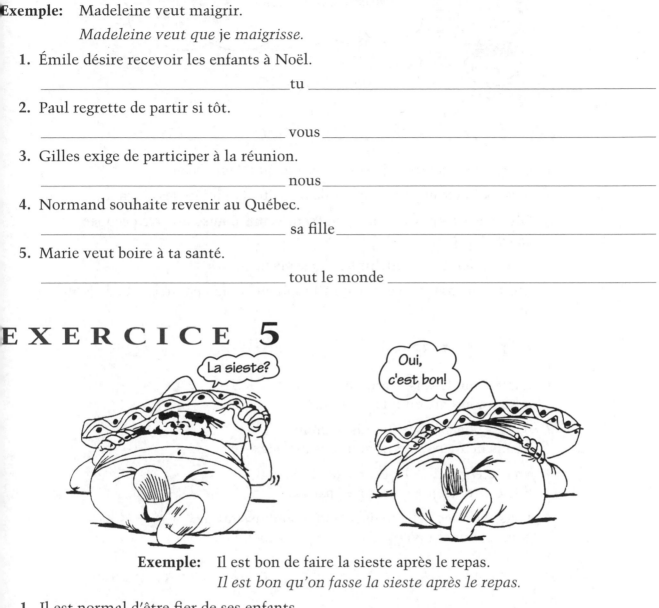

Exemple: Il est bon de faire la sieste après le repas.

Il est bon qu'on fasse la sieste après le repas.

1. Il est normal d'être fier de ses enfants.

   _____

2. Il est préférable de savoir nager quand on fait du bateau.

   _____

3. Il est rare de réussir quand on ne travaille pas.

   _____

4. Il est possible de perdre ses amis quand on déménage.

   _____

5. Il est insensé de vouloir mourir quand on a vingt ans.

   _____

6. Il est extraordinaire de pouvoir voyager quand on est étudiant.

Prenez votre cassette.

NIVEAU 4

ÉCOUTEZ ET RÉPÉTEZ.

1. Quelle belle journée! Je suis contente qu'il fasse beau.

2. Il est possible que nous ayons de la visite. J'ai invité les Gagnon.

3. Oh, je ne suis pas sûr qu'ils puissent venir. Louise est très occupée en ce moment.

4. Il est préférable qu'elle finisse son travail.

5. C'est vrai, mais je regrette qu'elle soit au bureau par une si belle journée.

ÉCOUTEZ ET REPRENEZ.

1. Il fait beau. Je suis contente.
   Je suis contente qu'il fasse beau.

2. Il n'est plus malade. Je suis heureux.
   Je suis heureux qu'il ne soit plus malade.

3. Vous êtes partis. Elle est triste.
   Elle est triste que vous soyez partis.

4. Vous avez une belle maison. Nous sommes ravis.
   Nous sommes ravis que vous ayez une belle maison.

ÉCOUTEZ ET REPRENEZ.

1. Aller à la réunion, c'est nécessaire.
   Il est nécessaire qu'on aille à la réunion.

2. Savoir la vérité, c'est urgent.
   Il est urgent qu'on sache la vérité.

3. Être à l'heure, c'est indispensable.
   Il est indispensable qu'on soit à l'heure.

4. Avoir tous les documents, c'est important.
   Il est important qu'on ait tous les documents.

5. Prendre un taxi, c'est préférable.

S'il ne ronflait pas je pourrais dormir!

La proposition conditionnelle à l'imparfait

Si j'avais le temps, je viendrais ce soir,
> mais je suis très occupé.

Si tu étais riche, tu irais au bout du monde,
> mais tu es sans le sou.

S'il voulait travailler, il pourrait réussir,
> mais il est paresseux.

Si nous pouvions la voir, nous serions ravis,
> mais nous sommes trop loin.

Si vous saviez conduire, vous auriez une auto,
> mais vous êtes trop jeunes.

Si elles prenaient des cours, elles sauraient nager,
> mais elles ont peur de l'eau.

E X E R C I C E 1

Exemple: Si tu *partais*, je t'*écrirais* tous les jours.
              (partir)   (écrire)

1. Si nous _____ la maison, nous ne _____ pas où aller.
           (vendre)   (savoir)

2. Si tu _____ un peu, tu la _____ .
         (attendre)   (voir)

3. S'il _____ beau, elles _____ du camping.
        (faire)   (faire)

4. Si vous _____, nous _____ dîner ensemble.
           (vouloir)   (pouvoir)

5. Si je _____ où ils habitent, j'_____ leur rendre visite.
         (savoir)   (aller)

6. S'ils _____ vous voir, ils _____ contents.
   (pouvoir)   (être)

E X E R C I C E 2

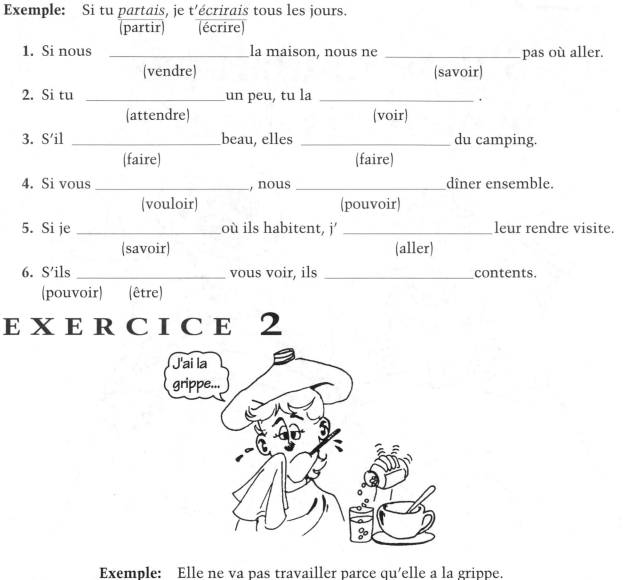

J'ai la grippe...

Exemple: Elle ne va pas travailler parce qu'elle a la grippe.
              Si elle n'avait pas la grippe, elle irait travailler.

1. Je ne fais pas de sport parce que je n'ai pas le temps.

   _____

2. Nous n'allons pas à la campagne parce qu'il pleut.

   _____

3. On ne se baigne pas parce que l'eau est froide.

   _____

4. Vous ne pouvez pas travailler parce qu'ils font du bruit.

   _____

5. Il n'a pas d'amis parce qu'il a mauvais caractère.

   _____

6. Je ne suis pas sûr de la rencontrer parce qu'il y a beaucoup de monde.

   _____

EXERCICE 4

Exemple: (manger moins/perdre du poids/avoir toujours faim)

Si je *mangeais moins, je perdrais du poids, mais j'ai toujours faim.*

1. (avoir le temps/venir ce soir/être trop occupé)

   Si j' _____

2. (être riche/faire le tour du monde/être sans le sou)

   Si nous _____

3. (savoir conduire/avoir une auto/être trop jeune)

   Si tu _____

4. (prendre des cours/savoir nager/avoir peur de l'eau)

   Si elles _____

5. (vouloir travailler/pouvoir réussir/être trop paresseux)

   S'il _____

6. (pouvoir/venir vous voir/être malade)

   Si elle _____

7. (être voisins/se voir souvent/habiter trop loin)

   Si nous _____

8. (avoir ton âge/faire de la moto/être trop vieux)

   Si j' _____

9. (être tout à fait guéri/pouvoir aller skier/être encore trop faible)

   Si tu _____

10. (avoir une maison à la campagne/avoir un chien/habiter au centre-ville)

    S'ils _____

Prenez votre cassette.

NIVEAU 4

É C O U T E Z E T R É P É T E Z.

1. Si j'osais, je dirais à Julie que je l'aime.
2. Si elle me le demandait, je me ferais couper les cheveux.
3. Si elle voulait de moi, je serais tellement heureux.
4. Si j'étais beau, toutes les filles tomberaient amoureuses de moi.

É C O U T E Z E T R E P R E N E Z.

1. Je n'ai pas le temps. Je ne pars pas en vacances.
   Si j'avais le temps, je partirais en vacances.
2. Vous ne savez pas parler français. Vous ne trouvez pas de travail.
   Si vous saviez parler français, vous trouveriez du travail.
3. Je suis fatigué. Je ne sors pas ce soir.
   Si je n'étais pas fatigué, je sortirais ce soir.
4. Tu as mauvais caractère. Tu n'as pas d'amis.
   Si tu n'avais pas mauvais caractère, tu aurais des amis.
5. Il ne travaille pas. Il n'a pas d'argent.
   S'il travaillait, il aurait de l'argent.

É C O U T E Z E T R E P R E N E Z.

1. Ils ne viennent pas te voir parce que tu es malade.
   Si tu n'étais pas malade, ils viendraient te voir.
2. On ne sort pas parce qu'il neige.
   S'il ne neigeait pas, on sortirait.
3. Vous ne pouvez pas dormir parce que les voisins font du bruit.
   Si les voisins ne faisaient pas de bruit, vous pourriez dormir.
4. Tu ne maigris pas parce que tu manges tout le temps.
   Si tu ne mangeais pas tout le temps, tu maigrirais.
5. Je ne lui téléphone pas parce que je suis timide.
   Si je n'étais pas timide, je lui téléphonerais.

Je les fais travailler!

Le verbe faire

Il fait travailler les soldats. → Il les fait travailler.

Il fait peler les patates. } → { Il les fait peler.
Il fait peler les patates aux soldats. } { Il leur fait peler les patates.

Il fait tirer le canon. } → { Il le fait tirer.
Il fait tirer le canon au soldat. } { Il lui fait tirer le canon.

J' ai fait {
agrandir mon salon.
décorer ma chambre.
refaire les peintures.
laver les rideaux
}

Elle faisait {
manger son frère.
rire sa sœur.
jouer ses enfants.
pleurer sa mère.
}

EXERCICE 1

Exemple: *Il lui fait préparer le gâteau.*

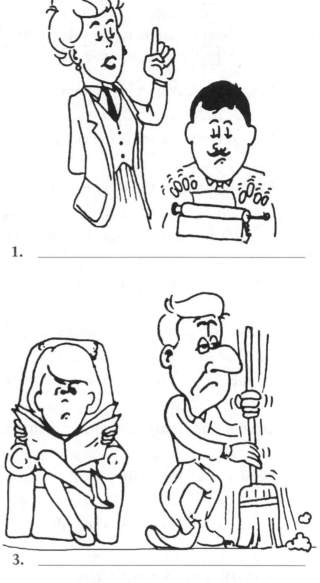

1. _____

2. _____

3. _____

4. _____

5. _____

EXERCICE 2

Exemples: Jacques fait danser |Marie|.
Il |*la*| *fait danser.*
Jacques fait danser la valse |à Marie|.
Il |*lui*| *fait danser la valse.*

1. L'agent fait traverser **les piétons**.

_____

2. L'agent fait traverser la rue **aux piétons**.

_____

3. La gardienne a fait manger **le bébé**.

_____

4. La gardienne a fait manger la soupe **au bébé**.

_____

5. L'élève fera signer **ses parents**.

_____

6. L'élève fera signer son bulletin **à ses parents**.

_____

7. Le chef d'orchestre fait jouer **ses musiciens**.

_____

8. Le chef d'orchestre fait jouer le morceau **à ses musiciens**.

_____

9. Le père fera lire **son fils**.

_____

10. Le père fera lire la Bible **à son fils.**

_____

11. Jean fait fumer **son petit frère**.

_____

12. Jean fait fumer la pipe **à son petit frère**.

_____

13. L'institutrice a fait chanter **les écoliers**.

_____

14. L'institutrice a fait chanter des comptines **aux écoliers.**

_____

15. Le policier a fait avouer **le suspect**.

_____

16. Le policier a fait avouer son crime **au suspect**.

_____

EXERCICE 3

> geler la rivière/tourner la tête/tomber les feuilles/déraper les voitures
> rire les enfants/danser les jeunes/battre les cœurs
> mourir les poissons/verdir les gazons

Exemple: *L'amour fait battre les cœurs.*

1. Le champagne _____

2. La musique _____

3. Le vent _____

4. Le clown _____

5. La pollution _____

6. Le froid _____

7. Le verglas _____

8. La pluie _____

EXERCICE 4

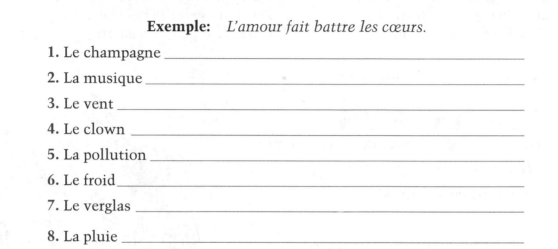

Exemple: *Il se fait réveiller.*

1. _____

2. _____

3. _____

E X E R C I C E 5

Exemple: Dites à Guy de se faire couper les cheveux.

«Fais-toi couper les cheveux.»

1. Dites au malade de se faire soigner.

   _____

2. Dites à votre fille de se faire accompagner.

   _____

3. Dites aux clients de se faire rembourser.

   _____

4. Dites aux candidats de se faire photographier.

   _____

E X E R C I C E 6

Exemple: Demande à la secrétaire qu'elle fasse entrer le client.

«Faites entrer le client.»

«Faites-le entrer.»

1. Demande à Georges qu'il fasse attendre les journalistes.

   _____

   _____

2. Demande à l'infirmière qu'elle fasse asseoir la malade.

   _____

   _____

3. Demande aux mères qu'elles fassent dormir les enfants.

   _____

   _____

   _____

Prenez votre cassette. NIVEAU 4

ÉCOUTEZ ET RÉPÉTEZ.

1. L'amour fait battre les cœurs.

2. Le soleil fait pousser les fleurs.

3. Le vent fait tomber les feuilles.

4. Le bruit fait fuir les oiseaux.

5. L'argent fait tourner le monde.

ÉCOUTEZ ET RÉPONDEZ.

1. L'agent fait traverser les piétons?
   – Oui, il les fait traverser.

2. L'agent fait traverser la rue aux piétons?
   – Oui, il leur fait traverser la rue.

3. Jacques fait danser Marie?
   – Oui, il la fait danser.

4. Jacques fait danser la valse à Marie?
   – Oui, il lui fait danser la valse.

5. La gardienne fait manger le bébé?
   – Oui, elle le fait manger.

5. La gardienne fait manger la soupe au bébé?
   – Oui, elle lui fait manger la soupe.

ÉCOUTEZ ET REPRENEZ.

1. Dites à vos invités de se faire ouvrir la porte.
   Faites-vous ouvrir la porte.

2. Dites à Pierre de se faire réveiller à 5 heures.
   Fais-toi réveiller à 5 heures.

3. Dites à vos amis de se faire aider.
   Faites-vous aider.

4. Dites à votre frère de se faire payer.
   Fais-toi payer.

5. Dites aux enfants de se faire expliquer la leçon.

Elle s'est assise sur mon chapeau!

Le participe passé au féminin

Elle s'est
- assise.
- installée.
- écroulée.
- effondrée.
- couchée.

Elle est
- partie.
- arrivée.
- revenue.
- restée.
- rentrée.

Elles sont
- montées.
- tombées.
- mortes.
- venues.
- descendues.

Elle est sortie avec Georges sur le balcon.
Elle a sorti ses plantes sur le balcon → Elle les a sorties.
Elle a sorti des plantes sur le balcon → Elle en a sorti.

Elle est invitée à la campagne chez ses amis.
Elle a invité son amie à la campagne → Elle l'a invitée.
Elle a invité une amie à la campagne → Elle en a invité une.

EXERCICE 1

tomber dans l'oubli
devenir célèbre
parvenir au sommet
monter sur la scène
descendre très bas
naître à la campagne
revenir au pays
partir à la ville
mourir dans la misère
entrer dans le monde du spectacle

Exemple: *Elle est née à la campagne.*

1. _____
2. _____
3. _____
4. _____
5. _____
6. _____
7. _____
8. _____
9. _____

EXERCICE 2

Exemple: (repeindre sa chambre)
J'ai repeint ma chambre. Je l'ai repeinte.

1. (perdre ses clés)

_____

2. (inviter ses amies)

_____

3. (éteindre les lumières)

_____

4. (écrire ses mémoires)

_____

5. (quitter sa famille)

_____

6. (faire ses valises)

_____

EXERCICE 3

écrire		la vérité
détruire		sa date de naissance
apprendre		ses notes de cours
découvrir		sa déclaration d'impôt
traduire		ses dispositions
inscrire		la nouvelle
faire		les preuves
commettre		sa biographie
soumettre		sa candidature
prendre		cette pièce
remettre		ces erreurs

Exemple: *Est-ce qu'il a écrit sa biographie?*
– Oui, il l'a écrite.

1. _____

2. _____

3. _____

4. _____

5. _____

6. _____

7. _____

8. _____

9. _____

10. _____

© Guérin, éditeur lté

EXERCICE 4

Exemple: (raconter/histoires)
Des histoires? – Oui, j'en ai raconté.
Ces histoires? – Oui, je les ai racontées.

1. (faire/recherches)

_____

_____

2. (perdre/batailles)

_____

_____

3. (recevoir/invitations)

_____

_____

4. (essayer/recettes)

_____

_____

5. (rencontrer/difficultés)

_____

_____

6. (lire/critiques)

_____

_____

7. (refuser/propositions)

_____

_____

8. (étudier/réactions)

_____

_____

Prenez votre cassette.

NIVEAU 4

É C O U T E Z   E T   R É P É T E Z.

1. Mes études, je les ai faites à Trois-Rivières.
2. Mes leçons, je les ai bien apprises.
3. Mes compositions, je les ai toujours écrites en français.
4. Ma recherche, je l'ai remise à la fin du cours.

É C O U T E Z   E T   R É P O N D E Z.

1. Est-ce qu'elle a repeint toute la maison?
   – Oui, elle l'a toute repeinte.
2. Est-ce que tu as éteint toutes les lumières?
   – Oui, je les ai toutes éteintes.
3. Est-ce qu'ils ont fait toute la route?
   – Oui, ils l'ont toute faite.
4. Est-ce que tu as traduit toute sa lettre?
   – Oui, je l'ai toute traduite.
5. Est-ce qu'elle a pris toutes ses pilules?
   – Oui, elle les a toutes prises.

É C O U T E Z   E T   R É P O N D E Z.

1. Est-ce qu'il a appris la mauvaise nouvelle?
   – Non, il ne l'a pas encore apprise.
2. Est-ce qu'il a découvert la vérité?
   – Non, il ne l'a pas encore découverte.
3. Est-ce qu'il a écrit sa lettre de démission?
   – Non, il ne l'a pas encore écrite.
4. Est-ce qu'il a remis les clés au concierge?
   – Non, il ne les a pas encore remises.
5. Est-ce qu'il a fait ses valises?
   – Non, il ne les a pas encore faites.

Le Canada a été découvert par Jacques Cartier en 1534.

La voix passive

Les Vikings auraient exploré l'Amérique au XIe siècle. →	L'Amérique aurait été explorée par les Vikings au XIe siècle.
Jacques Cartier a découvert le Canada en 1534. →	Le Canada a été découvert par Jacques Cartier en 1534.
On utilisait le Saint-Laurent comme voie principale de communication. →	Le Saint-Laurent était utilisé comme voie principale de communication.
On construisait les villages le long du fleuve. →	Les villages se construisaient le long du fleuve.

E X E R C I C E 1

Exemple: *Les policiers arrêtent le voleur.*
              Le voleur est arrêté par les policiers.

les policiers	fabriquer	la résolution
les moines	applaudir	les lauréats
les Allemands	lancer	la place publique
les Alliés	choisir	l'accusé
le juge	chanter	l'orateur
la foule	adopter	les Mercedes
l'assistance	interroger	le voleur
le jury	envahir	les litanies
l'assemblée	arrêter	le satellite

1. _____

2. _____

3. _____

4. _____

5. _____

6. _____

7. _____

8. _____

EXERCICE 2

Exemple: (décorer un soldat)
Le soldat a été décoré.

1. (récompenser un gagnant)

_____

2. (battre un record)

_____

3. (identifier un problème)

_____

4. (reconnaître des droits)

_____

5. (dénoncer une injustice)

_____

6. (interroger des suspects)

_____

EXERCICE 3

Exemple: On a mis son fils en prison.
Son fils a été mis en prison.

1. On a dévalisé la banque.

_____

2. On a retrouvé les survivants.

_____

3. On a reconstruit le château.

_____

4. On a ouvert la nouvelle route.

_____

5. On a enlevé la fille du milliardaire.

_____

6. On a beaucoup apprécié ses dernières toiles.

_____

7. On a amélioré l'ancien record du marathon.

_____

8. On a diffusé son film à travers tout le Canada.

_____

EXERCICE 4

le thé
les feuilles mortes
le violon
les tissus délicats
le bois
les fraises
les manteaux de fourrure
les chocolats
les champs
le français
le rôti de boeuf

laver à la main
labourer au printemps
offrir surtout à Noël
parler encore en Louisiane
porter même dans le Sud
cuire au four
n'apprendre pas facilement
ramasser à l'automne
boire avec des biscuits
manger même en hiver
vendre à la corde

Exemple: *On boit le thé avec des biscuits.*
Le thé se boit avec des biscuits.

1. _____
   _____

2. _____
   _____

3. _____
   _____

4. _____
   _____

5. _____
   _____

6. _____
   _____

7. _____
   _____

8. _____
   _____

9. _____
   _____

10. _____
    _____

Prenez votre cassette.

NIVEAU 4

ÉCOUTEZ ET RÉPÉTEZ.

1. L'Amérique aurait été explorée par les Vikings au XIe siècle.

2. Le Canada a été découvert par Jacques Cartier en 1534.

3. Le Saint-Laurent était utilisé comme voie principale de communication.

4. Les villages se construisaient le long du fleuve.

ÉCOUTEZ ET RÉPONDEZ.

1. On a repeint la maison?
   – Oui, la maison a été repeinte.

2. On a changé les fenêtres?
   – Oui, les fenêtres ont été changées.

3. On a refait la vieille route?
   – Oui, la vieille route a été refaite.

4. On a coupé les arbres?
   – Oui, les arbres ont été coupés.

5. On a détruit la forêt?
   – Oui, la forêt a été détruite.

ÉCOUTEZ ET REPRENEZ.

1. Les touristes envahissent les plages.
   Les plages sont envahies par les touristes.

2. La police surveille les automobilistes.
   Les automobilistes sont surveillés par la police.

3. Les camions bloquent la route.
   La route est bloquée par les camions.

4. La vitesse cause les accidents.
   Les accidents sont causés par la vitesse.

5. L'assurance couvre les dommages.
   Les dommages sont couverts par l'assurance.

Leçon 11

Tel père... tel fils!

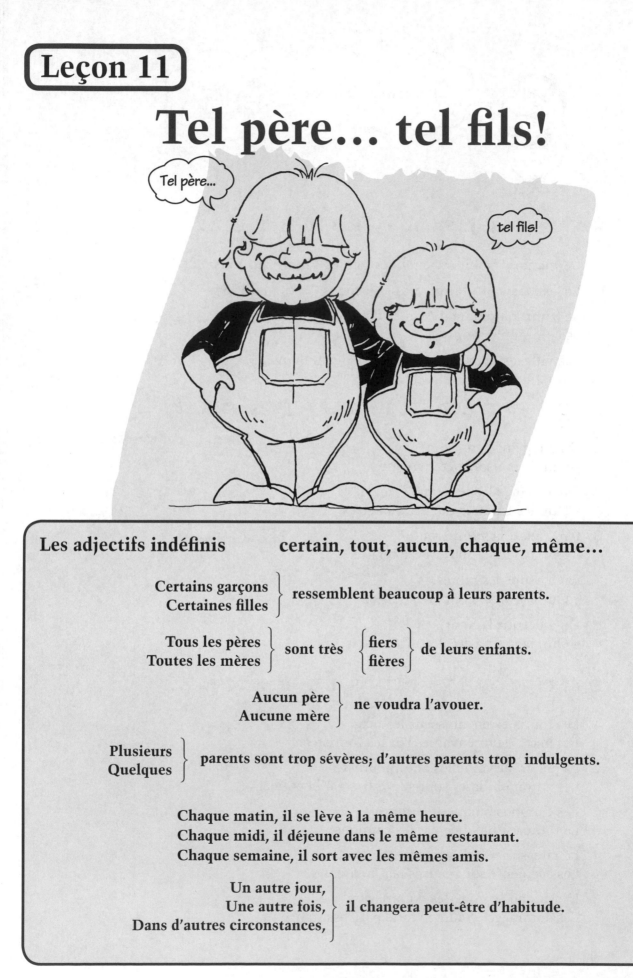

Les adjectifs indéfinis   certain, tout, aucun, chaque, même...

Certains garçons ⎫
Certaines filles ⎭ ressemblent beaucoup à leurs parents.

Tous les pères ⎫ sont très ⎧ fiers ⎫ de leurs enfants.
Toutes les mères ⎭   ⎩ fières ⎭

Aucun père ⎫ ne voudra l'avouer.
Aucune mère ⎭

Plusieurs ⎫ parents sont trop sévères; d'autres parents trop indulgents.
Quelques ⎭

Chaque matin, il se lève à la même heure.
Chaque midi, il déjeune dans le même restaurant.
Chaque semaine, il sort avec les mêmes amis.

Un autre jour, ⎫
Une autre fois, ⎬ il changera peut-être d'habitude.
Dans d'autres circonstances, ⎭

EXERCICE 1

À chaque cavalier	tel valet
Chaque chose	sa moisson
À chaque jour	sont dans la nature
Autre temps	suffit sa peine
Tous les moyens	sont mortels
Tel maître	à sa place
Tous les goûts	sa monture
Chaque chose	sont bons
Tous les hommes	autres mœurs
À chaque saison	en son temps

Exemple: *À chaque cavalier sa monture.*

1. _____
2. _____
3. _____
4. _____
5. _____
6. _____
7. _____
8. _____
9. _____

EXERCICE 2

chaque/telle/aucun/plusieurs/mêmes/certains/autres/tous/quelques

Exemple: **Tous** les citoyens de la ville ont protesté contre la vague de pollution.

1. L'usine déverse [_____] jour [_____] tonnes de résidus.

2. [_____] espèces de poissons ont été détruites.

3. La croissance de [_____] conifères est sérieusement ralentie.

4. Après [_____] années, [_____] mineur de l'amiante n'échappe à la maladie.

5. Dans d'[_____] industries, les ouvriers ont aussi les [_____] problèmes.

6. [_____] gouvernement responsable devrait mettre fin à une [_____] situation.

E X E R C I C E 3

Exemple: **Tous** les dimanches, ils emmènent les enfants au restaurant.
– *Chaque dimanche, ils emmènent les enfants au restaurant.*

1. **Pas un** combattant ne manquait à l'appel.

   _____

2. **Un nombre restreint de** poètes sont aussi romanciers.

   _____

3. **Tous** les âges ont leurs plaisirs.

   _____

4. Il y avait parmi les invités **un petit nombre de** Chinois.

   _____

5. Je préférerais vous revoir dans des conditions **différentes**.

   _____

6. Il me faut un fusil et **deux ou trois** chiens.

   _____

7. Dans une situation **analogue**, je ferais comme lui.

   _____

8. Il ne lui reste qu'**une petite quantité de** sous.

   _____

9. Une méchanceté **semblable** m'étonne.

   _____

10. La famille **sans exception** se réunissait à Noël.

    _____

11. **Toutes** les fois que je le vois, je le trouve vieilli.

    _____

12. Il a répété votre nom à **diverses** reprises.

    _____

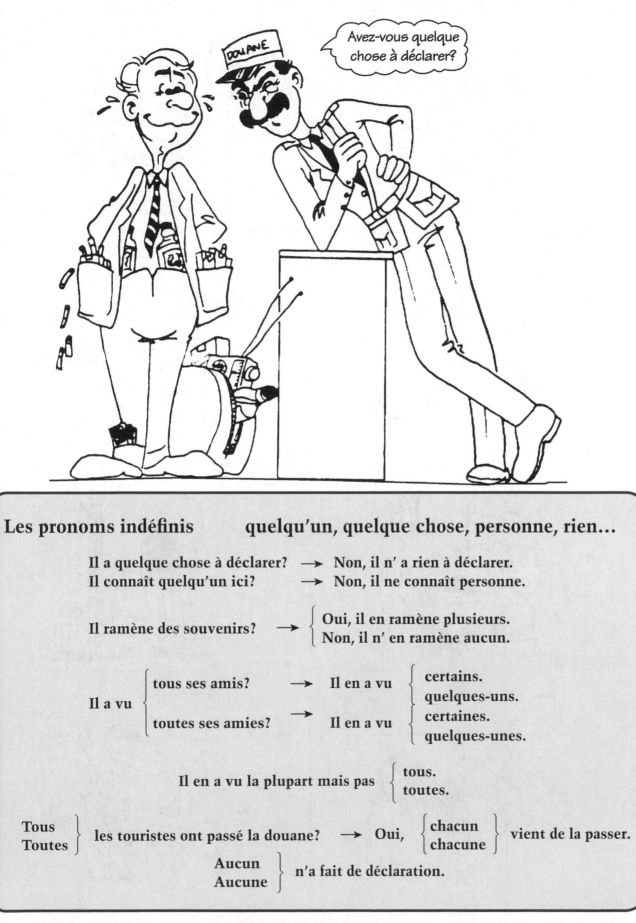

Les pronoms indéfinis   quelqu'un, quelque chose, personne, rien...

Il a quelque chose à déclarer? → Non, il n' a rien à déclarer.
Il connaît quelqu'un ici? → Non, il ne connaît personne.

Il ramène des souvenirs? → { Oui, il en ramène plusieurs.
Non, il n' en ramène aucun.

Il a vu { tous ses amis? → Il en a vu { certains.
quelques-uns.
toutes ses amies? → Il en a vu { certaines.
quelques-unes.

Il en a vu la plupart mais pas { tous.
toutes.

Tous } Toutes les touristes ont passé la douane? → Oui, { chacun
chacune } vient de la passer.

Aucun
Aucune } n'a fait de déclaration.

EXERCICE 4

Exemple: Beaucoup *de Québécois passeront l'hiver en Floride.*

Exemple: Certains *resteront à Montréal.*

1. La plupart _____

2. Quelques-uns _____

3. Les uns _____

4. Les autres _____

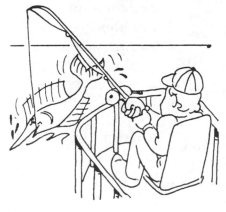

5. Plusieurs _____

6. Tous _____

EXERCICE 5

Exemple: [*Toutes*] les étudiantes ont passé l'examen.
(réussi) *Aucune n'a réussi.*

1. [   ] les hommes sont partis à la guerre.
   (revenir) _____

2. [   ] les clients ont été bien servis.
   (se plaindre) _____

3. [   ] mes amies ont quitté la ville.
   (revenir) _____

4. [   ] les documents ont brûlé.
   (être sauvé) _____

5. [   ] les filles ont présenté leur candidature.
   (être accepté) _____

6. [   ] les voleurs ont été arrêtés.
   (parler) _____

EXERCICE 6

l'un/l'autre/rien/tout/toutes/la plupart
personne/aucun/quelqu'un/quelque chose/plusieurs

Exemple: Je ne connais [*personne*] de plus heureux que lui.

1. Il faut absolument engager [   ] de compétent.

2. Il avait dix employées; il les a [   ] congédiées.

3. [   ] d'autre que moi ne pourra vous aider.

4. Est-ce que [   ] a [   ] d'important à ajouter?

5. Elle avait deux frères mais [   ] n'était marié.

6. [   ] étudiait la danse et [   ] la musique.

7. Elle ne s'occupe de [   ] d'autre que de son travail.

8. Racontez-moi donc [   ] de drôle.

9. J'ai lu [   ] de ses romans et [   ] de ses pièces.

EXERCICE 7

Exemple: Il a épousé une femme merveilleuse.
*Il a épousé **quelqu'un** de merveilleux.*

1.   Mon père est un homme extraordinaire.
_____

2.   Ils ont été attaqués par un individu très violent.
_____

3.   La porte a été ouverte par un objet pointu.
_____

4.   Elle a une histoire passionnante à te raconter.
_____

EXERCICE 8

Exemple: Je n'ai jamais bu d'alcool aussi fort.
*Je n'ai jamais **rien** bu d'aussi fort.*

1. Je ne connais pas d'auteur aussi célèbre.
_____

2. Elles ne commettent jamais d'acte illégal.
_____

3. Nous n'avons jamais rencontré une femme aussi sympathique.
_____

4. Il ne dit jamais de choses intéressantes.
_____

5. Je n'ai jamais vu un garçon aussi stupide.
_____

6. Ils n'ont jamais élu de député aussi compétent.
_____

Prenez votre cassette.

NIVEAU 4

ÉCOUTEZ ET RÉPÉTEZ.

1. Beaucoup de Québécois passent l'hiver en Floride.
2. Quelques-uns font le voyage en voiture.
3. La plupart y vont en avion.
4. Les uns louent un appartement, les autres s'installent à l'hôtel.
5. Tous sont très heureux de fuir la neige et le froid.

ÉCOUTEZ ET RÉPONDEZ.

1. C'est vraiment une fille très sympathique, n'est-ce pas?
   – Oui, c'est vraiment quelqu'un de très sympathique.
2. Ta sœur a épousé un homme riche, n'est-ce pas?
   – Oui, elle a épousé quelqu'un de riche.
3. Tu es soigné par un médecin très compétent, n'est-ce pas?
   – Oui, je suis soigné par quelqu'un de très compétent.
4. Je t'ai apporté un beau cadeau, n'est-ce pas?
   – Oui, tu m'as apporté quelque chose de beau.
5. Ils t'ont annoncé une terrible nouvelle, n'est-ce pas?
   – Oui, ils m'ont annoncé quelque chose de terrible.

ÉCOUTEZ ET RÉPONDEZ.

1. Avez-vous quelque chose à déclarer?
   – Non, nous n'avons rien à déclarer.
2. Avez-vous quelque chose à faire ici?
   – Non, nous n'avons rien à faire ici.
3. Connaissez-vous quelqu'un à Québec?
   – Non, nous ne connaissons personne à Québec.
4. As-tu parlé à quelqu'un ce soir?
   – Non, je n'ai parlé à personne ce soir.
5. As-tu quelque chose à ajouter?
   – Non, je n'ai rien à ajouter.

C'est le meilleur des hommes!

C'est lui qu'on aime le mieux.

C'est le meilleur des hommes...

Le superlatif   **le plus, le moins, le mieux, le meilleur, le pire**

C'est {
le garçon le plus gentil.
le plus gentil des garçons.
le plus gentil que je connaisse.
}

C'est {
la fille la plus douée.
la plus douée des filles.
la plus douée que je connaisse.
}

Ce sont eux {
qui ont le moins d'argent.
qui travaillent le moins.
qui sont les moins riches.
}

Paul {
joue bien du piano
est un bon pianiste
} mais c'est {
Pierre
Marie
} qui joue le mieux.
{
Pierre
Marie
} qui est {
le meilleur.
la meilleure.
}

Paul {
chante mal
est un mauvais chanteur
} mais c'est {
Pierre
Marie
} qui chante le plus mal.
{
Pierre
Marie
} qui est {
le pire.
la pire.
}

Niveau 4

EXERCICE 1

Exemple

1. _____

2. _____

3. _____

EXERCICE 2

Exemple: La baleine _est le mammifère le plus gros._
  La baleine est le plus gros des mammifères.

1. Le Canada _____
   _____

2. La Chine _____
   _____

3. Le Nil _____
   _____

4. L'Éverest _____
   _____

5. Le mois de janvier _____
   _____

6. La tortue _____
   _____

EXERCICE 3

Exemple: *Ce sont les parents qui rient le plus.*

1. _____

2. _____

3. _____

EXERCICE 4

> stupide, distrait, paresseux, peureux, intéressant, orgueilleux

Exemple: Votre mari dort 20 heures par jour.
C'est l'homme le plus paresseux que je connaisse.

1. L'autruche se cache la tête dans le sable.

   _____

2. Le patron oublie toujours tout.

   _____

3. La conférencière retient l'attention de toute l'assistance.

   _____

4. Monsieur Bélanger n'admet jamais ses torts.

   _____

5. Suzanne ne comprend jamais rien.

   _____

EXERCICE 5

le plus/la plus/le moins/la moins/le meilleur/la meilleure/le pire/la pire/le mieux/les meilleures

Exemple: Le plus tôt sera [*le mieux*] .

1. Je crains [   ] .

2. C'est [   ] ami de ma soeur.

3. [   ] dur est fait.

4. Que [   ] gagne.

5. [   ] qu'on puisse faire est de ne rien dire.

6. La santé, c'est [   ] important.

7. Il a commis [   ] des erreurs.

8. Tout est pour [   ] dans [   ] des mondes.

9. Les plaisanteries les plus courtes sont [   ] .

10. [   ] choses ont une fin.

11. Je ne t'en veux pas, pas [   ] du monde.

12. C'est un voyou de [   ] espèce.

13. Elle allait chez le dentiste [   ] souvent possible.

14. La raison du plus fort est toujours [   ] .

15. Ce qui frappe [   ] , c'est sa grande beauté.

16. Nous avons donné [   ] de nous-mêmes.

17. J'ai passé [   ] grande partie de ma vie au Mexique.

18. Il se sont décidés pour la solution [   ] mauvaise.

19. Son dernier roman est [   ] écrit.

20. Nous avons gardé [   ] pour la fin.

Prenez votre cassette. NIVEAU 4

É C O U T E Z   E T   R É P É T E Z.

1. La vie est injuste. Ce sont les gens qui ont le moins d'argent qui travaillent le plus dur.

2. Oui, mais les gens les plus riches ne sont pas les plus heureux.

3. D'accord, mais moi, si j'étais mieux payé, ma vie serait meilleure.

4. En tous cas, elle ne serait pas pire.

É C O U T E Z   E T   R É P O N D E Z.

1. La baleine est un très gros mammifère?
   – Oui, c'est le mammifère le plus gros.

2. La Chine est un pays très peuplé?
   – Oui, c'est le pays le plus peuplé.

3. Le Nil est un très long fleuve?
   – Oui, c'est le fleuve le plus long.

4. L'Éverest est une très haute montagne?
   – Oui, c'est la montagne la plus haute.

5. Janvier est un mois très froid?
   – Oui, c'est le mois le plus froid.

É C O U T E Z   E T   R É P O N D E Z.

1. L'avion est un moyen de transport rapide, n'est-ce pas?
   – Oui, c'est le moyen de transport le plus rapide que je connaisse.

2. Julie est une belle femme, n'est-ce pas?
   – Oui, c'est la femme la plus belle que je connaisse.

3. Monsieur Gagnon est un patron sévère, n'est-ce pas?
   – Oui, c'est le patron le plus sévère que je connaisse.

4. Les Bélanger sont des voisins sympathiques, n'est-ce pas?
   – Oui, ce sont les voisins les plus sympathiques que je connaisse.

5. Québec est une ville agréable, n'est-ce pas?
   – Oui, c'est la ville la plus agréable que je connaisse.

Leçon 13

J'en rêve!

Les pronoms personnels   en, y

Elle	se doute s'étonne s'excuse s'occupe se réjouit	de son départ.	Elle s' en	doute. étonne. excuse. occupe. réjouit.
Il	pense rêve songe tient renonce	à son départ.	Il y	pense. rêve. songe. tient. renonce.
J'ai acheté	quelques fleurs. un bouquet de roses. trois lys. des tulipes rouges. une douzaine d'œillets. beaucoup de plantes.		J'en ai acheté	quelques-unes. un bouquet. trois. des rouges. une douzaine. beaucoup.

Dans la bulle de l'image : « Des vacances au soleil ? J'en rêve ! »

E X E R C I C E 1

Exemple: Il y a un ⬚homme⬚ de trop.
Il y ⬚en⬚ a un de trop.

1. Elles m'ont raconté une bonne **blague.**
   _____

2. Il a choisi des **roses** rouges.
   _____

3. Nous avons deux **fils** à l'université.
   _____

4. Je voudrais une **voiture** de l'année.
   _____

5. Il a mis un **manteau** à carreaux.
   _____

6. Elle a commandé une **crème glacée** à la vanille.
   _____

7. Il m'a donné un **billet** de plus.
   _____

8. Elle a pris plusieurs **photos.**
   _____

9. Nous leur avons gardé beaucoup de **place.**
   _____

10. Vous nous avez servi un **café** trop sucré.
    _____

11. Elle a apporté une douzaine de **disques.**
    _____

12. Tu lui as acheté un **chapeau** trop petit.

EXERCICE 2

Exemple: (découvrir l'origine)
Il *a découvert l'origine* **de la panne** .
Il **en** *a découvert l'origine.*

1. (faire le tour de la ville)
Nous _____

_____

2. (écrire la préface de ce livre)
J' _____

_____

3. (raconter l'histoire de sa vie)
Elle __ _____

4. (imaginer la suite de l'histoire)
Tu _____

_____

5. (deviner la fin du film)
Ils _____

EXERCICE 3

Exemple: *Ils se réjouissent* **de leur succès** ?
– Oui, ils s' **en** *réjouissent.*

1. Tu te doutais **de quelque chose?**

_____

2. Elle s'étonne **du résultat?**

_____

3. Vous vous êtes aperçus **de son départ?**

_____

4. Ils s'occuperont **du ménage?**

_____

5. Tu t'excuses **de ton erreur?**

_____

6. Elles se servent **de ta voiture?**

_____

EXERCICE 4

Exemple: *Je m'oppose à l'énergie nucléaire.*

Je m'y oppose.

1. _____

_____

2. _____

_____

3. _____

_____

4. _____

_____

5. _____

_____

EXERCICE 5

Exemples: Ils songent $\boxed{à}$ se marier: Ils $\boxed{y}$ songent.

Nous nous occupons $\boxed{de}$ la cérémonie: Nous nous $\boxed{en}$ occupons.

1. Je tiens $\boxed{}$ te revoir: _____

2. Elles s'excusent $\boxed{}$ leur retard: _____

3. Je m'étonne $\boxed{}$ son absence: _____

4. Nous pensons $\boxed{}$ notre avenir: _____

5. Elle renonce $\boxed{}$ sa fortune: _____

6. Tu te doutes $\boxed{}$ ce qui est arrivé: _____

7. Ils réfléchissent $\boxed{}$ leur conduite: _____

8. Je me réjouis $\boxed{}$ cette bonne nouvelle: _____

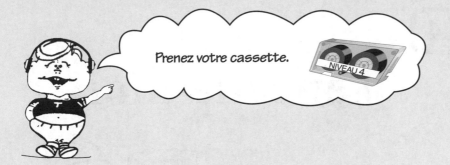

Prenez votre cassette. NIVEAU 4

É C O U T E Z   E T   R É P É T E Z.

1. Est-ce que tu sais ce que je vais te dire?

2. Non, mais je m'en doute. Tu vas encore me parler de mes études.

3. Oui, j'y tiens beaucoup.

4. Mais moi aussi, j'y tiens beaucoup et j'y pense tous les jours.

5. Mon avenir, je m'en occupe.

6. Ah! Voilà une bonne nouvelle! Je m'en réjouis.

É C O U T E Z   E T   R É P O N D E Z.

1. Paul se doute de la réaction de sa mère, n'est-ce pas?
   – Oui, il s'en doute.

2. Il pense à son avenir, n'est-ce pas?
   – Oui, il y pense.

3. La mère de Paul parle souvent des études de son fils, n'est-ce pas?
   – Oui, elle en parle souvent.

4. Elle s'occupe trop de son emploi du temps, n'est-ce pas?
   – Oui, elle s'en occupe trop.

5. Paul s'oppose à ce genre de discussion, n'est-ce pas?
   – Oui, il s'y oppose.

É C O U T E Z   E T   R É P O N D E Z.

1. Tu as déjà vu plusieurs pièces de théâtre?
   – Oui, j'en ai déjà vu plusieurs.

2. Tu as réservé quatre places?
   – Oui, j'en ai réservé quatre.

3. Il restait beaucoup de billets?
   – Oui, il en restait beaucoup.

4. Tu peux réserver une autre place?
   – Oui, je peux en réserver une autre.

Lance-le-moi!

Les pronoms personnels compléments

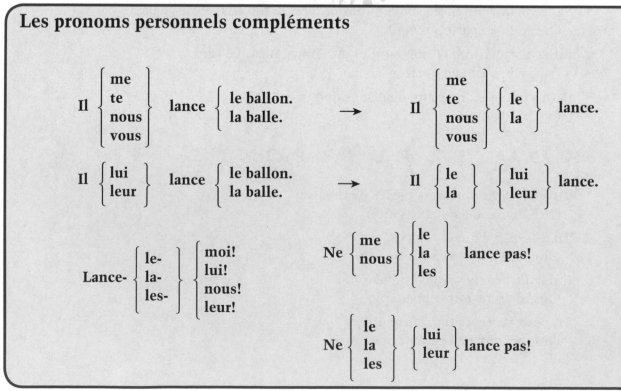

m'en..., t'en..., lui en..., nous en..., vous en..., leur en...

Elle $\begin{Bmatrix} m' \\ t' \\ lui \\ nous \\ vous \\ leur \end{Bmatrix}$ a donné $\begin{Bmatrix} un\ ballon. \\ une\ balle. \end{Bmatrix}$ Elle $\begin{Bmatrix} m' \\ t' \\ lui \\ nous \\ vous \\ leur \end{Bmatrix}$ en a donné $\begin{Bmatrix} un. \\ une. \end{Bmatrix}$

EXERCICE 1

poser	de l'aide	à sa sœur
fournir	l'argent	aux spécialistes
expliquer	cette tâche	aux autorités
confier	la leçon	aux ouvriers
demander	du travail	au vainqueur
rembourser	la question	au serveur
promettre	une récompense	à ses créanciers
laisser	un pourboire	à son associé

Exemples: *Elle posera la question aux spécialistes.*
Elle la leur posera.
Elle fournira du travail aux ouvriers.
Elle leur en fournira.

1. _____

2. _____

3. _____

4. _____

5. _____

6. _____

EXERCICE 2

Exemple: (rendre son devoir au professeur)
J'ai rendu mon devoir au professeur.
Je le lui ai rendu.

1. (demander leur nom aux nouveaux élèves)

_____

_____

2. (emprunter la voiture à ses parents)

_____

_____

3. (laisser les clés au concierge)

_____

_____

4. (recommander ce film à ses amis)

_____

_____

EXERCICE 3

Exemple: Elle me donnerait son canapé si elle déménageait.
Elle me le donnerait.

1. Mes parents m'avanceraient l'argent si je n'en avais pas.

_____

2. Ils nous demanderaient notre avis s'ils étaient polis.

_____

3. Il me prêterait sa voiture si la mienne était en panne.

_____

4. Vous lui présenteriez votre cousine si elle était en ville.

_____

5. Tu leur transmettrais les renseignements si tu étais obligé.

Exemples: Le médecin prescrit | son traitement | au malade | .

Il le lui prescrit.

Le médecin prescrit | des piqûres | au malade | .

Il lui en prescrit.

1. Le petit garçon apporte | son bulletin | à sa mère | .

_____

2. Le petit garçon apporte | des fleurs | à sa mère | .

_____

3. Le professeur remet | les examens | aux élèves | .

_____

4. Le professeur remet | des livres | aux élèves | .

_____

5. Grand-mère raconte | sa vie | aux enfants | .

_____

6. Grand-mère raconte | des histoires | aux enfants | .

_____

7. Il distribue | son argent | aux pauvres | .

_____

8. Il distribue | de l'argent | aux pauvres | .

_____

EXERCICE 5

Exemple

EXERCICE 6

Exemples: Ne lui dis pas de mensonges .
Ne lui en dis pas.
Ne lui dis pas la vérité .
Ne la lui dis pas.

1. Ne lui prenez pas **de photos**.

   _____

2. Ne leur achetez pas **de bonbons**.

   _____

3. Ne lui fais pas **son travail**.

   _____

4. Ne lui apporte pas **ses pantoufles**.

   _____

5. Ne lui donnez pas **d'espoir**.

   _____

6. Ne leur demandez pas **leur avis**.

   _____

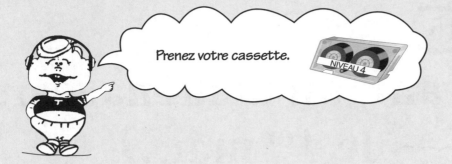

Prenez votre cassette.

NIVEAU 4

ÉCOUTEZ ET RÉPÉTEZ.

1. Tu me donnes sa photo? Tu me la donnes? Donne-la-moi.

2. Tu ne veux pas me parler de tes vacances? Bon, ne m'en parle pas.

3. Tu nous offres un verre? Tu nous en offres un?
   Allez, offre-nous-en un.

4. Tu lui fais son travail? Tu le lui fais? Non, ne le lui fais pas.

ÉCOUTEZ ET RÉPONDEZ.

1. Tes amis nous recommandent ce restaurant?
   – Oui, ils nous le recommandent.

2. Ta sœur te prête sa maison?
   – Oui, elle me la prête.

3. Elle t'a laissé les clés?
   – Oui, elle me les a laissées.

4. Tu vas me présenter ta cousine?
   – Oui, je vais te la présenter.

5. Tu me donnes son numéro de téléphone?
   – Oui, je te le donne.

ÉCOUTEZ ET REPRENEZ.

1. Il promet une récompense au vainqueur.
   Il lui promet une récompense. Il lui en promet une.

2. Elle laisse un pourboire au serveur.
   Elle lui laisse un pourboire. Elle lui en laisse un.

3. L'entreprise fournit un logement aux employés.
   L'entreprise leur fournit un logement. Elle leur en fournit un.

4. Grand-père apporte une surprise aux enfants.
   Grand-père leur apporte une surprise. Il leur en apporte une.

Leçon 15

Avant, on déménageait le 1er mai…

(Speech bubble) Avant, on déménageait le 1er mai…

(Speech bubble) Maintenant, on déménage le 1er juillet.

L'imparfait d'habitude

Avant,	on déménageait le 1er mai.
Autrefois,	nous partions en vacances au mois d'août.
D'habitude,	il travaillait tous les soirs.
Quand j'étais petit,	je me levais à sept heures.
Anciennement,	elle gardait quelques enfants.

Chaque semaine, tous les dimanches,	on se réunissait chez mon oncle.
Chaque année, tous les 1er janvier,	

Très souvent,	il nous téléphonait le samedi.
La plupart du temps,	
Quand il le pouvait,	

EXERCICE 1

Exemple: *Ils avaient un accident...*
chaque fois qu'il conduisait.

1. _____
chaque fois qu'il fumait dans son lit.

2. _____
chaque fois qu'elle quittait la maison.

3. _____
chaque fois qu'ils voyageaient.

4. _____
chaque fois qu'il partait.

5. _____
chaque fois qu'il avait peur.

E X E R C I C E 2

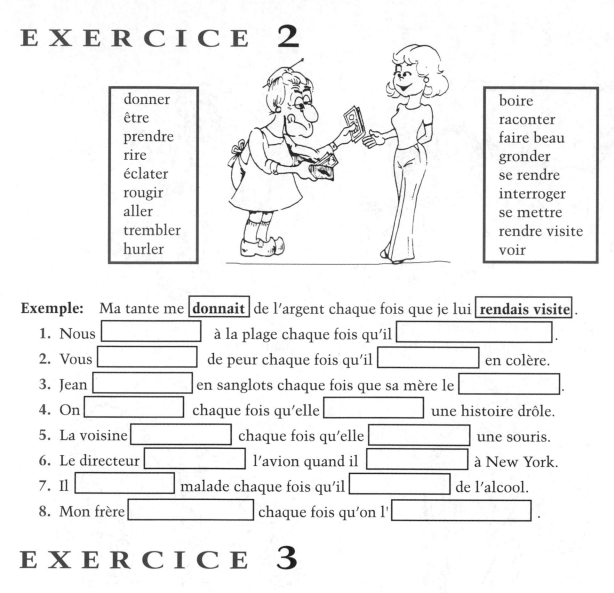

donner	boire
être	raconter
prendre	faire beau
rire	gronder
éclater	se rendre
rougir	interroger
aller	se mettre
trembler	rendre visite
hurler	voir

Exemple: Ma tante me |**donnait**| de l'argent chaque fois que je lui |**rendais visite**|.

1. Nous [   ] à la plage chaque fois qu'il [   ].

2. Vous [   ] de peur chaque fois qu'il [   ] en colère.

3. Jean [   ] en sanglots chaque fois que sa mère le [   ].

4. On [   ] chaque fois qu'elle [   ] une histoire drôle.

5. La voisine [   ] chaque fois qu'elle [   ] une souris.

6. Le directeur [   ] l'avion quand il [   ] à New York.

7. Il [   ] malade chaque fois qu'il [   ] de l'alcool.

8. Mon frère [   ] chaque fois qu'on l' [   ].

E X E R C I C E 3

Exemple: Quand les vacances approchent, les élèves ne peuvent plus étudier.
Quand les vacances approchaient, les élèves ne pouvaient plus étudier.

1. Quand elle chante, tout le monde pleure.

   _____

2. Quand la première neige tombe, la ville est paralysée.

   _____

3. Quand les enfants viennent souper, je leur fais un gâteau.

   _____

4. Quand je pars au chalet, je laisse mon chat au voisin.

   _____

5. Quand nous sortons le samedi soir, ma sœur vient garder les enfants.

   _____

6. Quand la rivière est gelée, nous allons y patiner.

   _____

EXERCICE 4

Exemple: *Quand nous étions bébés,
nous mangions ensemble.*

1. _____
   _____

2. _____

3. _____
   _____

4. _____
   _____

Prenez votre cassette.

NIVEAU 4

ÉCOUTEZ ET RÉPÉTEZ.

1. Quand j'étais petit, nous partions toujours en vacances
   au mois d'août.
2. Chaque année, toute la famille se retrouvait chez mon oncle
   au lac Simon.
3. Je passais mes journées à pêcher au bord du lac.
4. La plupart du temps, j'étais seul mais, quand il le pouvait,
   mon père m'accompagnait.

ÉCOUTEZ ET REPRENEZ.

1. Je garde les enfants quand ma femme travaille le soir.
   Avant aussi, je gardais les enfants quand ma femme
   travaillait le soir.
2. Il va se coucher quand minuit sonne.
   Avant aussi, il allait se coucher quand minuit sonnait.
3. Nous allons à la plage quand il fait beau.
   Avant aussi, nous allions à la plage quand il faisait beau.
4. Elle tombe malade quand il y a un examen.
   Avant aussi, elle tombait malade quand il y avait un examen.
5. Le directeur prend l'avion quand il va à Québec.
   Avant aussi, le directeur prenait l'avion quand il allait à Québec.

ÉCOUTEZ ET REPRENEZ.

1. Elle se mettait en colère et il tremblait de peur.
   Chaque fois qu'elle se mettait en colère, il tremblait de peur.
2. On interrogeait mon frère et il se mettait à rougir.
   Chaque fois qu'on interrogeait mon frère, il se mettait à rougir.
3. Il y avait une tempête de neige et on fermait les écoles.
   Chaque fois qu'il y avait une tempête de neige, on fermait les
   écoles.
4. Le facteur passait et le chien aboyait.
   Chaque fois que le facteur passait, le chien aboyait.
5. Il rencontrait une fille, il tombait amoureux.

Je gagne ma vie en vendant des balais!

Le gérondif

Il gagne sa vie
- en vendant des balais.
- en lavant les voitures.
- en gardant des enfants.
- en écrivant des romans.
- en composant des chansons.
- en chantant dans les restaurants.

C'est
- en lisant le journal
- en parlant à sa voisine
- en écoutant la radio
- en téléphonant à l'agence
- en répondant à une annonce
- en se présentant à notre bureau

qu'il a trouvé du travail.

E X E R C I C E 1

Exemple _Il a perdu tout son argent en jouant aux cartes._

1.

2.

3.

4.

5.

EXERCICE 2

> courir/voyager/traverser la rue/se raser/se baigner
> grandir/sourire/faire du sport/travailler

Exemple: *C'est en se rasant* qu'il s'est coupé.

1. _____ qu'il s'est fait écraser.

2. _____ qu'il est devenu riche.

3. _____ qu'il a perdu du poids.

4. _____ qu'il s'est noyé.

5. _____ qu'il a changé.

6. _____ qu'il est tombé.

7. _____ qu'il est mort.

8. _____ qu'il a appris l'espagnol.

EXERCICE 3

Exemple: On peut avoir un accident si on roule trop vite.

   On peut avoir un accident en roulant trop vite.

1. Si vous écriviez au directeur, vous pourriez être remboursés.

   _____

2. Elle prenait un verre quand elle préparait le repas.

   _____

3. Quand nous étions sages, nous étions sûrs d'être récompensés.

   _____

4. C'est quand il est arrivé chez lui qu'il a eu une crise cardiaque.

   _____

5. S'ils ont bien cherché, ils ont sûrement trouvé la maison.

   _____

6. On prend du poids quand on ne fait plus d'exercice.

   _____

7. Ils voyagent aux États-Unis et ils apprennent l'anglais.

   _____

8. Il s'est fait arrêter quand il a passé la frontière.

   _____

9. Tu pourrais encore réussir si tu travaillais.

   _____

10. Elle a aperçu un requin quand elle se baignait.

   _____

EXERCICE 4

s'endormir	acheter ce domaine
se tuer	déménager
partir à la guerre	mourir
rencontrer sa femme	chanter
trouver un emploi	insister
perdre ses amis	composer des chansons
laisser une fortune	vieillir
perdre ses cheveux	lire le journal
protéger le coupable	se taire
se ruiner	tomber de cheval
devenir célèbre	boire cette eau
obtenir un rendez-vous	passer une annonce
tomber malade	regarder la télévision

Exemple: *Il s'est endormi en regardant la télévision.*

1. _____

2. _____

3. _____

4. _____

5. _____

6. _____

7. _____

8. _____

9. _____

10. _____

11. _____

12. _____

Prenez votre cassette. NIVEAU 4

É C O U T E Z   E T   R É P É T E Z.

1. C'est en travaillant avec des Mexicains qu'il a appris l'espagnol.

2. C'est en chantant dans les restaurants qu'elle a commencé sa carrière.

3. C'est en jouant aux cartes qu'il a perdu tout son argent.

4. C'est en écrivant des romans policiers qu'elle est devenue célèbre.

É C O U T E Z   E T   R É P O N D E Z.

1. Il regardait la télévision et il s'est endormi?
   – Oui, il s'est endormi en regardant la télévision.

2. Il est arrivé chez lui et il a eu une crise cardiaque?
   – Oui, il a eu une crise cardiaque en arrivant chez lui.

3. Tu es tombée de cheval et tu t'es cassé la jambe?
   – Oui, je me suis cassé la jambe en tombant de cheval.

4. Il se rasait et il s'est coupé?
   – Oui, il s'est coupé en se rasant.

5. Tu lisais le journal et tu as appris qu'il était mort?
   – Oui, j'ai appris qu'il était mort en lisant le journal.

É C O U T E Z   E T   R E P R E N E Z.

1. On peut avoir un accident si on roule trop vite.
   On peut avoir un accident en roulant trop vite.

2. On peut être remboursé si on écrit au directeur.
   On peut être remboursé en écrivant au directeur.

3. On peut se faire arrêter quand on passe la frontière.
   On peut se faire arrêter en passant la frontière.

4. On peut apercevoir des ours quand on va plus au nord.
   On peut apercevoir des ours en allant plus au nord.

5. On peut se perdre quand on traverse cette forêt.
   On peut se perdre en traversant cette forêt.

Suivons-nous!

Les verbes pronominaux

Je me souviens.	Je me suis souvenu/souvenue.
Tu t'endors.	Tu t'es endormi/endormie.
Elle s'assoit.	Il s'est assis/Elle s'est assise.
Nous nous rendons.	Nous nous sommes rendus/rendues.
Vous vous reconnaissez.	Vous vous êtes reconnus/reconnues.
Ils se taisent.	Ils se sont tus/Elles se sont tues.

Assieds-toi.	Rends-toi.	Souviens-toi.
Asseyons-nous.	Rendons-nous.	Souvenons-nous.
Asseyez-vous.	Rendez-vous.	Souvenez-vous.

Il s'est { aperçu / souvenu / plaint } qu'elle n'était pas là.   Il s'en est { aperçu. / souvenu. / plaint. }

Il s'est { souvenu / plaint } de ta fille.   Il s'est { souvenu / plaint } d'elle.

EXERCICE 1

se rendre/se souvenir/s'entendre/s'inscrire/se plaindre/s'évanouir

Je me suis inscrite à un cours de judo.

Exemple

1.

2.

3.

4.

5.

Moi, je parle français!

EXERCICE 2

Exemple: Elles ont dû s'enfuir; *elles se sont enfuies.*

1. Elle a dû s'asseoir; _____
2. Elles ont dû s'attendre; _____
3. Elle a dû se taire; _____
4. Elle a dû s'endormir; _____
5. Ils ont dû se suivre; _____
6. Elles ont dû se comprendre; _____
7. Elle a dû s'évanouir; _____
8. Ils ont dû se revoir; _____
9. Ils ont dû s'entendre; _____
10. Elles ont dû se reconnaître; _____

EXERCICE 3

Exemples: Vous ne devez pas vous endormir. *Ne vous endormez pas!*
Vous devez vous réveiller. *Réveillez-vous!*

1. Vous ne devez pas vous asseoir. _____
2. Nous devons nous suivre. _____
3. Tu dois te souvenir. _____
4. Vous devez vous taire. _____
5. Nous ne devons pas nous plaindre. _____
6. Tu ne dois pas t'évanouir. _____
7. Vous devez vous rendre. _____
8. Tu dois te servir. _____

EXERCICE 4

se souvenir	de la prison
se plaindre	de ma voiture
se permettre	de son anniversaire
s'apercevoir	de leurs erreurs
se rendre compte	de sa disparition
se servir	de la chaleur
s'enfuir	de lui téléphoner

Exemple: *Ils se sont souvenus de son anniversaire.*

1. _____

2. _____

3. _____

4. _____

5. _____

6. _____

EXERCICE 5

Exemple: Elle s'aperçoit du danger.
Elle s'en aperçoit.

1.   Elle se plaint du bruit.

   _____

2.   Elle se souvient de cette musique.

   _____

3.   Elle se rend compte de son erreur.

   _____

4.   Elle se sert de son expérience.

   _____

Prenez votre cassette.

NIVEAU 4

É C O U T E Z   E T   R É P É T E Z.

1. Vous souvenez-vous de votre enfance?

2. Oui, je m'en souviens très bien.

3. Au moment des repas, toute la famille s'asseyait autour de la table.

4. Seuls les parents parlaient, les enfants se taisaient.

5. La vie était dure mais personne ne se plaignait.

6. Je me rends compte que tout cela a bien changé.

É C O U T E Z   E T   R É P O N D E Z.

1. Il se plaint de la chaleur?
   – Oui, il s'en plaint.

2. Tu te souviens de ton enfance?
   – Oui, je m'en souviens.

3. Il s'aperçoit du danger?
   – Oui, il s'en aperçoit.

4. Tu te sers de l'ordinateur?
   – Oui, je m'en sers.

5. Vous vous rendez compte de la situation?
   – Oui, nous nous en rendons compte.

É C O U T E Z   E T   R E P R E N E Z.

1. Il a dû s'endormir.
   Oui, il s'est endormi.

2. Elle a dû se taire.
   Oui, elle s'est tue.

3. Ils ont dû s'asseoir.
   Oui, ils se sont assis.

4. Il a dû se perdre.
   Oui, il s'est perdu.

5. Elles ont dû se suivre.
   Oui, elles se sont suivies.

Quand vous aurez signé...

ils seront tous à vous!

Le futur antérieur

Il sera content quand
- j' aurai signé.
- tu auras réussi.
- il aura mangé.
- nous aurons travaillé.
- vous aurez dormi.
- elles auront téléphoné.

J'espère
Je pense
Je suppose
qu'à midi
- je serai arrivé/arrivée.
- tu seras revenu/revenue.
- il sera parti/elle sera partie.
- nous serons rentrés/rentrées.
- vous serez levés/levées.
- ils seront sortis/elles seront sorties.

EXERCICE 1

Quand il aura fait le tour, il recommencera!

Exemple

1.

2.

3.

EXERCICE 2

Exemple: répéter/entendre

Tu me répéteras ce que tu auras entendu.

1. récolter/semer

_____

2. donner/trouver

_____

3. chercher/perdre

_____

4. reconstruire/détruire

_____

5. recommencer/bâcler

_____

6. décrire/voir

_____

EXERCICE 3

xemple: Quand ira-t-il au cinéma?
Quand il aura fini la vaisselle.

1. Quand ira-t-elle se coucher?

_____

2. Quand leur chien sera-t-il propre?

_____

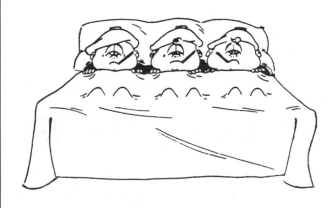

3. Quand retourneront-ils à l'école?

_____

4. Quand pourra-t-elle danser?

_____

5. Quand partira-t-il à la pêche?

_____

EXERCICE 4

signer
féliciter
se marier
se reposer
partir
jouer
rentrer
se sentir mieux

finir ses études
arriver au but
lire le contrat
perdre du poids
réparer la voiture
faire les courses
apprendre ses leçons
réussir

Exemple: *Je signerai quand j'aurai lu le contrat.*

1. _____
2. _____
3. _____
4. _____
5. _____
6. _____
7. _____

EXERCICE 5

Exemples: Vous vous ___*lèverez*___ quand il ___*entrera*___ .
                      (lever)   (entrer)

Vous ___*fermerez*___ la porte quand il ___*sera entré*___ .
        (fermer)   (entrer)

1. Elle _____ en forme quand elle _____ .
            (être)   (dormir)

2. Vous ne _____ pas de bruit quand elle_____ .
              (faire)   (dormir)

3. Je _____ quand j' _____ ma douche.
        (s'habiller)   (prendre)

4. Je _____ les cheveux quand je _____ ma douche.
        (se laver)   (prendre)

5. Tu n' _____ plus faim quand tu _____ ce gâteau.
            (avoir)   (manger)

6. Tu _____ quand tu _____ faim.
        (manger)   (avoir)

Prenez votre cassette.

NIVEAU 4

ÉCOUTEZ ET RÉPÉTEZ.

1. On peut manger ensemble demain?

2. Oui, demain j'ai une réunion à dix heures, mais je pense qu'à midi nous aurons fini.

3. Quand tu seras sortie du bureau, tu pourras me téléphoner?

4. Oui, j'ai déjà hâte de te raconter ce que j'aurai appris.

ÉCOUTEZ ET REPRENEZ.

1. Tu dormiras puis tu seras en forme.
   Tu seras en forme quand tu auras dormi.

2. Tu prendras ta douche puis tu t'habilleras.
   Tu t'habilleras quand tu auras pris ta douche.

3. Tu mangeras ce gâteau et tu n'auras plus faim.
   Tu n'auras plus faim quand tu auras mangé ce gâteau.

4. Il entrera et vous fermerez la porte.
   Vous fermercz la porte quand il sera entré.

5. Je lirai le document puis je prendrai une décision.
   Je prendrai une décision quand j'aurai lu le document.

ÉCOUTEZ ET REPRENEZ.

1. Le vendeur n'est pas content parce que je n'ai pas signé.
   Il sera content quand j'aurai signé.

2. Ma mère n'est pas fière parce que je n'ai pas réussi.
   Elle sera fière quand j'aurai réussi.

3. Je ne suis pas de bonne humeur parce que je n'ai pas dormi.
   Je serai de bonne humeur quand j'aurai dormi.

4. Elle n'est pas heureuse parce qu'il ne lui a pas téléphoné.
   Elle sera heureuse quand il lui aura téléphoné.

Je ne suis pas n'importe qui...!

Je peux faire n'importe quoi!

L'expression n'importe

Il peut
- faire n'importe quoi.
- sortir avec n'importe qui.
- aller n'importe où.
- dormir n'importe quand.
- s'habiller n'importe comment.
- payer n'importe quel prix.
- régler n'importe quelle affaire.

EXERCICE 1

EXERCICE 2

n'importe qui/n'importe quoi/n'importe quand
n'importe où/n'importe comment/n'importe quel/quelle

Exemple: À qui dois-je m'adresser?

– Adressez-vous à n'importe qui.

1. Quand est-ce que je peux intervenir?

   _____

2. Où est-ce que nous pouvons nous asseoir?

   _____

3. Qu'est-ce que je vous sers?

   _____

4. Comment est-ce que j'écris mon nom?

   _____

5. À quelle heure est-ce qu'on peut vous appeler?

   _____

EXERCICE 3

Exemple: Elle ouvre sa porte à tout le monde.

Elle ouvre sa porte à n'importe qui.

1. Ce livre est mal écrit.

   _____

2. Il ne dit que des bêtises.

   _____

3. Il a besoin d'argent, il ferait toute sorte de travail.

   _____

4. Elle s'habille vraiment mal.

   _____

5. Vous pouvez partir maintenant ou plus tard ou demain.

   _____

6. Ils aiment voyager partout dans le monde.

   _____

7. Nous aimons tous les sports.

   _____

8. Il peut téléphoner à midi, à 3 heures, à 6 heures...

   _____

Niveau 4

Prenez votre cassette. NIVEAU 4

É C O U T E Z   E T   R É P É T E Z.

1. Je m'inquiète beaucoup pour mon frère.
2. Il mange n'importe quoi.
3. Il couche n'importe où.
4. Il dort n'importe quand.
5. Il s'habille n'importe comment.
6. Il sort avec n'importe qui.
7. Il rentre à n'importe quelle heure.

É C O U T E Z   E T   R É P O N D E Z.

1. À qui est-ce que je dois remettre les billets?
   – Remettez-les à n'importe qui.
2. À quelle heure est-ce qu'on peut se présenter?
   – Présentez-vous à n'importe quelle heure.
3. Où est-ce que nous pouvons nous installer?
   – Installez-vous n'importe où.
4. Quand est-ce que je dois prendre la parole?
   – Prenez-la n'importe quand.

É C O U T E Z   E T   R É P O N D E Z.

1. Cette fille parle à tout le monde, n'est-ce pas?
   – Oui, elle parle à n'importe qui.
2. Ton mari danse plutôt mal, n'est-ce pas?
   – Oui, il danse n'importe comment.
3. Il est tout le temps en train de manger, n'est-ce pas?
   – Oui, il mange n'importe quand.
4. Il ne choisit pas la meilleure nourriture, n'est-ce pas?
   – Non, il mange n'importe quoi.

Quand le patron est entré...

... on a sursauté !

La concordance des temps

Ils se sont levés
Ils jouaient aux cartes
Elle tricotait
Ils ont sursauté
} quand le patron est entré.

Ils se mettront au travail { quand le patron arrivera.
si le patron arrive.

Ils se mettraient au travail si le patron arrivait.

S'il se lève tôt, { il n'est pas en retard.
il ne sera pas en retard.

S'il se levait tôt, il ne serait pas en retard.

Quand il se lèvera tôt, il ne sera plus en retard.

EXERCICE 1

Exemple: Ils se sont rencontrés quand ils ___***avaient***___ vingt ans.
(avoir)

Ils se sont mariés quand ils ___***ont eu***___ assez d'argent.
(avoir)

1. Il a crié quand il _____ le voleur.
(voir)

2. Nous avons compris le problème quand tu l' _____ .
(expliquer)

3. Je me suis cassé la jambe quand je _____ du ski.
(faire)

4. Vous avez perdu vos amis quand vous _____ .
(déménager)

5. Ils sont sortis quand les enfants _____ .
(dormir)

6. Elle lui a téléphoné quand elle _____ .
(arriver)

7. Il y a eu une panne d'électricité quand je _____ .
(travailler)

8. Il s'est évanoui quand il _____ la nouvelle.
(apprendre)

9. On se voyait souvent quand elle _____ à Montréal.
(habiter)

10. Ils ont quitté le pays quand la guerre _____ .
(éclater)

EXERCICE 2

Nous étions en train de pique-niquer quand un ours est arrivé.

Exemple

1.

2.

3.

4.

5.

EXERCICE 3

xemples: Il se ___*baignera*___ si l'eau n'est pas froide.
(baigner)

Il se baignerait si l'eau __*n'était*__ pas aussi froide.
(être)

1. Nous serons satisfaits si vous nous _____ .
(répondre)

2. Si elle _____ de la chance, elle réussira.
(avoir)

3. Si je _____ lui parler, je lui dirais la vérité.
(pouvoir)

4. Mon père _____ fâché si je ne lui écris pas.
(être)

5. Elle t' _____ plus si tu étais gentil.
(aimer)

6. Ils seraient plus heureux s'ils se _____ plus souvent.
(voir)

7. Si elle se levait plus tôt, elle ne _____ pas en retard.
(être)

8. Je _____ vous voir si j'ai le temps.
(revenir)

EXERCICE 4

xemples: S'ils n'ont pas d'argent liquide, ils __*paient/payeront*__ par chèque.
(payer)

S'ils n'avaient pas d'argent liquide, ils __*payaient/payeraient*__ par chèque.
(payer)

1. Si j'avais le temps, je _____ ce soir.
(venir)

2. Si vous continuez à vous disputer, je _____.
(s'en aller)

3. Si vous vous dépêchiez, vousn _____ la rencontrer.
(pouvoir)

4. Si tu es perdu, tu _____ m'appeler.
(pouvoir)

5. Si ta voiture est en panne, tu _____ un taxi.
(prendre)

6. Si elle m'aimait, je _____ si heureux.
(être)

Prenez votre cassette.

NIVEAU 4

ÉCOUTEZ ET RÉPÉTEZ.

1. J'ai connu Julie quand elle avait dix ans.
2. Je la voyais tous les matins quand elle passait devant chez moi.
3. Je l'ai perdue de vue quand j'ai déménagé.
4. J'ai eu de ses nouvelles il y a une semaine quand j'ai rencontré son frère par hasard.
5. Si j'osais, je lui téléphonerais.

ÉCOUTEZ ET RÉPONDEZ.

1. «Je ne comprends pas ce que vous dites.»
   Qu'est-ce que tu as dit?
   – J'ai dit que je ne comprenais pas ce que vous disiez.
2. «Je vais me fâcher si elle continue.»
   Qu'est-ce que tu as dit?
   – J'ai dit que j'allais me fâcher si elle continuait.
3. «Si je ne peux pas venir ce soir, mon mari te téléphonera.»
   Qu'est-ce que tu as dit?
   – J'ai dit que si je ne pouvais pas venir ce soir, mon mari te téléphonerait.

ÉCOUTEZ ET REPRENEZ.

1. Il a appris la nouvelle et il s'est évanoui.
   Il s'est évanoui quand il a appris la nouvelle.
2. Il a vu le voleur et il s'est mis à crier.
   Il s'est mis à crier quand il a vu le voleur.
3. Tu nous as expliqué le problème et nous l'avons compris.
   Nous avons compris le problème quand tu nous l'as expliqué.
4. Nous avons déménagé et nous avons perdu tous nos amis.
   Nous avons perdu tous nos amis quand nous avons déménagé.
5. Je travaillais et il y a eu une panne d'électricité.
   Il y a eu une panne d'électricité quand je travaillais.

EXERCICE 1

Exemple: Quand la guerre a été déclarée, *ils ont quitté leur pays.*

1. Quand j'ai ouvert la porte, _____

    _____

2. Quand l'accident est arrivé, _____

    _____

3. Quand la pluie a commencé à tomber, _____

    _____

4. Quand les vacances finissaient, _____

    _____

5. Quand elle demeurait à New York, _____

    _____

EXERCICE 2

Exemple: Je ne peux pas ouvrir la porte moi-même.
Fais-la ouvrir par la concierge

1. Je ne peux pas transporter les meubles moi-même.

   _____

2. Nous ne pouvons pas construire la maison nous-mêmes.

   _____

3. Je ne peux pas remplacer les tuyaux moi-même.

   _____

4. Je ne peux pas couper le gazon moi-même.

   _____

EXERCICE 3

Exemple: *Il n'y a rien* de plus bête *que de perdre ses clés.*

1. _____ de plus pénible _____
2. _____ de plus excitant _____
3. _____ de plus triste _____
4. _____ de plus méchant _____
5. _____ de plus amusant _____

EXERCICE 4

Exemple: *L'avion est le moyen de transport* le plus rapide.

1. _____ la plus belle.
2. _____ la moins chère.
3. _____ le plus bruyant.
4. _____ le plus dangereux.

EXERCICE 5

Exemple: Il aime mieux regarder la télévision *que faire la cuisine.*

1. Il aime mieux aller au restaurant _____
2. Il aime mieux acheter des légumes frais _____
3. Il aime mieux aller au marché le samedi _____
4. Il aime mieux manger du chocolat _____

EXERCICE 6

Exemple: Tu as peur de *n'importe qui.*

1. Elle achète _____
2. Il danse _____
3. Tu racontes _____
4. Elle parle à _____
5. Les enfants traversent _____
6. Il est prêt à payer _____
7. Ils conduisent _____
8. Elle lit _____
9. Ils arrivent toujours _____
10. Tu es coiffé _____
11. On peut être heureux _____
12. Vous dites _____

EXERCICE 7

Exemple: (n'importe où)

Avec toi, j'irais n'importe où.

1. (n'importe quand)

_____

2. (n'importe comment)

_____

3. (n'importe qui)

_____

4. (n'importe quoi)

_____

5. (n'importe quel)

_____

6. (n'importe quelle)

EXERCICE 8

Exemple: J'ai appris qu'il était mort *en lisant le journal.*

1. Il s'est cassé la jambe _____
2. Ils se sont rencontrés _____
3. Elle a trouvé du travail _____

E X E R C I C E **9**

l'assureur (rembourser) les clients
le comptable (travailler) deux fois plus
le menuisier (réparer) le toit.
le lutteur (gagner) beaucoup d'argent
les ouvriers (perdre) leur emploi
les femmes n'(être) pas en sécurité
le livreur (recevoir) des pourboires
les bagarres (éclater)
le gouvernement (faire) de belles promesses
les élèves (avoir) une punition
le chien (aboyer)

les élections (approcher)
elles (sortir) le soir
ils (faire) la grève
les fins de mois (arriver)
ils (se réunir)
il (remporter) le combat
il (transporter) les paquets
ils n'(être) pas responsables
il (couler)
le facteur (passer)
ils (arriver) en retard.

Exemple: *L'assureur remboursait les clients chaque fois qu'ils n'étaient pas responsables.*

1. _____

_____

2. _____

_____

3. _____

_____

4. _____

_____

5. _____

_____

6. _____

_____

7. _____

_____

8. _____

_____

9. _____

_____

10. _____

_____

EXERCICE 10

Exemple: *C'est* en se rasant *qu'il s'est coupé.*

1. _____ en courant _____
2. _____ en traversant _____
3. _____ en fumant _____
4. _____ en mourant _____
5. _____ en dansant _____
6. _____ en se disputant _____
7. _____ en souriant _____
8. _____ en plongeant _____

EXERCICE 11

Exemple: *Ma paresse* fait honte *à mon père.*
Elle lui fait honte.

1. _____ fait plaisir _____
_____
2. _____ fait mal _____
_____
3. _____ fait peur _____
_____

EXERCICE 12

Exemple: *Ce dentiste ne fait pas* mal à ses patients.

1. _____ peur aux courageux.
2. _____ plaisir au contribuable.
3. _____ honte à sa famille.
4. _____ mal à l'estomac.
5. _____ attention au danger.

EXERCICE 13

Exemple: *L'obscurité* fait peur *à mon frère.*

1. Le bruit _____ _____ aux oreilles.
2. Les bonnes notes _____ aux parents.
3. Les mauvais garçons _____ à leur mère.
4. Les piétons _____ aux autos.
5. L'orage _____ aux enfants.

E X E R C I C E 14

Exemple: Ne me parle pas de *ce film*.
Ne m'en parle pas.

1. Ne lui achète pas de _____

_____

2. Ne me donnez pas de _____

_____

3. Ne leur envoyez pas de _____

_____

4. Ne te prive pas de _____

_____

5. Ne vous faites pas de _____

_____

E X E R C I C E 15

Exemple: *Cette route* n'est recouverte *que de gravier.*

1. _____ n'est écrit _____
2. _____ n'est habillé _____
3. _____ n'est ouvert _____
4. _____ n'est fabriqué _____
5. _____ n'est traduit _____
6. _____ n'est vendu _____
7. _____ n'est chanté _____
8. _____ n'est connu _____

E X E R C I C E 16

Exemple: Jocelyne est végétarienne.
Elle ne mange que des légumes.

1. Georges est amoureux.

_____

2. Gilles est avare.

_____

3. Michèle est gourmande.

_____

4. Claudine est fatiguée.

_____

5. Albert est égoïste.

_____

EXERCICE 17

Exemple: Apporte quelques affaires.
Apportes-en quelques-unes.

1. Amène quelques amis.

_____

2. Enlève quelques pages.

_____

3. Prends quelques photos.

_____

EXERCICE 18

Exemple: Ne donne pas d'ordre.
N'en donne aucun.

1. Ne prends pas de décision.

_____

2. Ne fais pas de discours.

_____

3. Ne dépose pas de motion.

_____

EXERCICE 19

Exemple: *J'ai appris quelque chose d'horrible.*

1. _____ d'aimable.
2. _____ de chaud.
3. _____ de mal.
4. _____ d'important.
5. _____ de beau.

EXERCICE 20

Exemple: Sans soleil, *je ne pourrais pas vivre.*

1. Sans diplôme, _____

2. Sans voiture, _____

3. Sans travail, _____

4. Sans amour, _____

5. Sans lunettes, _____

EXERCICE 21

Exemple: Si j'avais du courage, *je lui dirais ma façon de penser.*

1. Si j'étais premier ministre, _____
2. Si j'étais un petit oiseau, _____
3. Si j'étais beau, _____
4. Si j'avais le temps, _____
5. Si j'étais en vacances, _____
6. Si je pouvais, _____
7. Si j'avais ton âge, _____

EXERCICE 22

Exemple: *Si vous êtes perdus,* demandez votre chemin à un passant.

1. _____ , payez comptant.
2. _____ , adressez-vous à la direction.
3. _____ , prends un taxi.

EXERCICE 23

Exemple: Si vous continuez de vous disputer, *je m'en vais.*

1. Si personne ne me répond, _____
2. Si vous n'êtes pas satisfait, _____
3. Si vous voulez mon approbation, _____

EXERCICE 24

Exemple: *Elle s'aperçoit qu'il y a du danger.*
Elle s'aperçoit du danger.
Elle s'en aperçoit.

1. _____

_____

Elle s'en plaint.

2. _____

_____

Ils s'en souviennent.

3. _____

_____

Elles s'en rendent compte.

EXERCICE 25

Exemple: Le patron désire que *les employés reprennent le travail.*

1. Les ouvriers veulent que _____

_____

2. Les parents souhaitent que _____

_____

3. Les enfants détestent que _____

_____

4. Les femmes exigent que _____

_____

5. Les hommes regrettent que _____

_____

6. Les propriétaires défendent que _____

_____

7. Les locataires réclament que _____

_____

EXERCICE 26

Exemple: *J'irais bien vous voir*, mais je n'ai pas le temps.

1. _____ , mais il ne fait pas beau.
2. _____ , mais ils sont malades.
3. _____ , mais c'est impossible.
4. _____ , mais il est trop jeune.
5. _____ , mais c'est trop cher.

EXERCICE 27

Exemple: Il est préférable d'*aller chez son dentiste tous les ans.*
Il est préférable que tu ailles chez ton dentiste tous les ans.

1. Il est important d(e) _____

_____

2. Il est indispensable d(e) _____

_____

3. Il n'est pas nécessaire d(e) _____

_____

4. Il est possible d(e) _____

_____

5. Il est urgent d(e) _____

_____

E X E R C I C E 28

Exemples: *Elle a renoncé à sa fortune.*
Elle a renoncé à se marier.
Elle y a renoncé.

1. _____

   Il y songe.

2. _____

   Ils y tiennent.

3. _____

   Elle y rêve.

4. _____

   Vous y avez fait allusion.

5. _____

   Tu vas y réfléchir.

6. _____

   Nous y pensons.

E X E R C I C E 29

Exemple: *Il m'a donné un billet de plus.*
Il m'en a donné un de plus.

1. _____

   Tu lui en as remis trois.

2. _____

   Elle t'en a préparé plusieurs.

3. _____

   Nous leur en avons gardé beaucoup.

4. _____

   Vous nous en avez servi une trop froide.

5. _____

   Ils vous en ont vendu une douzaine.

6. _____

   Je t'en ai offert quelques-unes.

7. _____

   Tu lui en as acheté un trop petit.

8. _____

   J'en ai reçu un en or.

EXERCICE 30

exemple: L'Université de Montréal est une université francophone;
celle d'Ottawa est bilingue.

1. Le maire de Vancouver est au pouvoir depuis deux ans;

   _____

2. L'économie du Canada est en pleine croissance;

   _____

3. Les mines de charbon ferment une à une;

   _____

4. Le ministre des Finances est ontarien;

   _____

5. Les provinces de l'Est ont voté libéral;

   _____

6. Les députés d'Alberta sont tous conservateurs;

EXERCICE 31

exemple: L'homme courageux *est celui qui surmonte sa peur.*

1. L'étudiant consciencieux _____

2. Le mari modèle _____

3. La femme idéale _____

4. Les gens heureux _____

5. L'égoïste _____

EXERCICE 32

exemple: *Nous lui avons pardonné ses fautes.*
Nous les lui avons pardonnées.

1. _____

   Elle te les a rendues.

2. _____

   Nous vous l'avons présenté.

3. _____

   Ils la leur ont empruntée.

4. _____

   Tu nous les as laissées.

5. _____

   Il me les a recommandés.

E X E R C I C E 33

Exemples: À qui *ressemble-t-elle?*
— *Elle ressemble à sa sœur.*
À quoi *la reconnais-tu?*
— *Je la reconnais à son sourire.*

1. Avec qui _____

_____

2. Avec quoi _____

_____

3. De qui _____

_____

4. De quoi _____

_____

5. Pour qui _____

_____

6. Dans quoi _____

_____

E X E R C I C E 34

Exemple: «Vous serez en retard si vous ne vous dépêchez pas.»
Je leur ai dit *qu'ils seraient en retard s'ils ne se dépêchaient pas.*

1. «Si tu ne manges pas ta soupe, tu ne grandiras pas.»
Je lui ai dit _____

_____

2. «Je ne comprends pas ce que vous dites.»
Je leur ai dit _____

_____

3. «Si je ne peux pas venir ce soir, mon mari vous téléphonera.»
Je leur ai dit _____

_____

4. «Ton père veut savoir avec qui tu sors.»
Je lui ai dit _____

_____

5. «Je vais me fâcher si vous continuez.»
Je leur ai dit _____

_____

Corrigé des exercices

Leçon 1

XERCICE 1

1. Que se passe-t-il?
2. Que faites-vous?
3. Qu'as-tu dit?
4. Que vous arrive-t-il?
5. Que deviens-tu?
6. Que voulez-vous?
7. Qu'as-tu décidé?

XERCICE 2

1. les voisins
2. le vent
3. la danse
4. le beau Paul
5. mon frère
6. mon chapeau
7. un café
8. la serveuse
9. rien
10. personne

XERCICE 3

1. Quel jour sommes-nous?
2. { Qui est-ce ? / Qui est ce professeur?
3. { Quelles villes avez-vous visitées? / Quelles villes avons-nous visitées?
4. De quel côté demeure-t-il?
5. À quelle heure ramasse-t-on les ordures?
6. De quelle rue arrivait l'autobus?
7. Dans quelle rue a-t-il tourné?
8. Par quelle fenêtre est-elle passée?

XERCICE 4

1. D'où vient-il?
2. { Par où êtes-vous passés? / Par où sommes-nous passés?
3. Quand sont-ils arrivés?
4. { Depuis quand est-elle partie? / Depuis combien de jours est-elle partie?
5. { Jusqu'à quand allez-vous rester? / Jusqu'à quand allons-nous rester?
6. { Comment es-tu venue? / Comment êtes-vous venue?

XERCICE 5

1. Avec qui joue-t-elle?
2. Avec quoi joue-t-elle?
3. De qui a-t-il peur?
4. De quoi a-t-il peur?
5. { À quoi rêves-tu? / À quoi rêvez-vous?
6. { À qui rêves-tu? / À qui rêvez-vous?

EXERCICE 6

1. Il fait plaisir aux enfants.
2. C'est son frère qui lui a fait mal.
3. C'est le lion qui lui fait peur.
4. Il fait attention de ne pas tomber.
5. Elle fait exprès de le faire tomber.

EXERCICE 7

1. La drogue fait peur aux parents.
2. Les visites font plaisir aux malades.
3. Les campeurs font attention au feu.
4. Les facteurs font attention aux chiens.
5. Les cadeaux font plaisir aux enfants.
6. Les bonbons font mal aux dents.
7. La séparation fait peur/mal aux amoureux.
8. Les talons hauts font mal aux pieds.

EXERCICE 8

1. Qui est-ce qui....
2. À qui est-ce que...
3. Qu'est-ce qui...
4. Qu'est-ce qui...
5. De quoi est-ce que...
6. À qui est-ce que...
7. Qui est-ce qui...
8. À quoi est-ce que...

Leçon 2

EXERCICE 1

1. Qu'est-ce que vous cherchez?
   Il leur a demandé ce qu'ils cherchaient.
2. Qu'est-ce que tu lis?
   Il lui a demandé ce qu'il lisait.
3. Qu'est-ce que tu manges?
   Il lui a demandé ce qu'il mangeait.
4. Qu'est-ce que tu regardes?
   Il lui a demandé ce qu'il regardait.
5. Qu'est-ce que vous voulez?
   Elle leur a demandé ce qu'elles voulaient.

EXERCICE 2

1. Tu as affirmé que tu ne faisais plus confiance à ton fils.
2. Vous avez reconnu que vous ne vous aimiez plus.
3. Ils ont avoué qu'ils s'étaient mariés trop jeunes.
4. Il a murmuré qu'il préférait ne pas me revoir.
5. Elle a ajouté que je pouvais m'en aller.

EXERCICE 3

1. qu'il était obligé de nous obéir
2. que vous ne l'écoutiez jamais
3. qu'il ne pouvait pas me suivre
4. que vous n'étiez pas contents d'eux
5. qu'ils ne voulaient plus nous parler

EXERCICE 4

1. ce que je faisais là
2. quel âge j'avais
3. où étaient mes parents
4. pourquoi je ne répondais pas
5. si j'étais sourd
6. ce qu'il faisait là
7. quel âge il avait
8. où étaient ses parents
9. pourquoi il ne répondait pas
10. s'il était sourd

EXERCICE 5

1. as déclaré... travaillais
2. me suis demandé... faisait
3. a répondu... dormait
4. a juré... avait
5. ont affirmé... étaient
6. avoué... aimait
7. avons constaté... pleuvait
8. avez vu... pleurais

Leçon 3

EXERCICE 1

1. Oui, c'est le mien.
2. { Oui, ce sont les tiens.
   { Oui, ce sont les vôtres.
3. { Oui, c'est le mien.
   { Oui, c'est le nôtre.
4. { Oui, c'est le tien.
   { Oui, c'est le vôtre.
5. { Oui, c'est la mienne.
   { Oui, c'est la nôtre.
6. { Oui, ce sont les miens.
   { Oui, ce sont les nôtres.
7. Oui, ce sont les miens.
8. { Oui, ce sont les vôtres.
   { Oui, ce sont les nôtres.

EXERCICE 2

1. Exposez la vôtre.
2. Rejetez les siennes.
3. Garde la tienne.
4. Écoutez le sien.
5. Acceptez la nôtre.
6. Occupez-vous des vôtres.
7. Signons les leurs.

EXERCICE 3

1. Ce sont les tiens.
2. Ce sont les siens.
3. Ce sont les siens.
4. Ce sont les nôtres.
5. Ce sont les leurs.

EXERCICE 4

1. { Le mien part...
2. { La nôtre est originaire...
   { La mienne est originaire...
3. { Les nôtres apprennent...
   { Les miens apprennent...
4. Les siens font...
5. La sienne se marie...
6. Les leurs habitent...

EXERCICE 5

1. C'est leur état d'esprit, c'est le leur.
2. C'est son point de vue, c'est le sien.
3. C'est leur manière d'agir, c'est la leur.
4. C'est sa façon de parler, c'est la sienne.
5. C'est sa proposition, c'est la sienne.
6. C'est leur opinion, c'est la leur.

EXERCICE 6

1. Oui, ce sont les siens. Ce sont ceux de Paul.
2. Oui, c'est le sien. C'est celui de Bernard.
3. Oui, c'est la sienne. C'est celle de Martine.
4. Oui, ce sont les siennes. Ce sont celles de Louise.
5. Oui, ce sont les siens. Ce sont ceux de Pierre.

EXERCICE 7

1. Choisis celles qui sont les plus solides.
2. Finissez celui que vous avez commencé.
3. Punis ceux qui ont fait du bruit.
4. Danse avec celui que tu préfères.
5. Écrivez à celles qui ne pourront pas venir.
6. Travaille pour celui qui est le plus honnête.
7. Rendez ceux que vous n'utilisez plus.
8. Montre-moi celle qui est à vendre.

EXERCICE 8

1. Ce sont celles des candidats.
2. C'est celui du gouvernement.
3. Ce sont ceux des électeurs.
4. C'est celle du parti.
5. C'est celle de l'opposition.
6. Ce sont celles de la campagne électorale.

Leçon 4

EXERCICE 1

1. partager mon dîner
2. me passer le sel
3. un verre de vin
4. du feu
5. libre ce soir

EXERCICE 2

1. Les éléphants vivraient jusqu'à cent ans.
2. Les nouveaux-nés reconnaîtraient très tôt leur mère
3. Les femmes seraient plus résistantes que les hommes.
4. Les Anglais boiraient plus de bière que les Allemands.
5. Les cours d'eau seraient de plus en plus pollués.
6. L'automobile serait plus dangereuse que l'avion.

EXERCICE 3

1. louerions
2. ferait
3. sortirais
4. irions
5. aimerais
6. nous baignerions
7. partiraient
8. voudrait

XERCICE 4

1. Sans votre permission, je n'oserais pas inviter votre fille.
2. Avec un plan de la ville, on arriverait à se diriger.
3. Sans argent, nous ne pourrions pas voyager.
4. Sans enfants, tu partirais plus souvent en vacances.
5. Avec une cravate, vous pourriez entrer.
6. Sans garantie, ils n'achèteraient pas votre voiture.

XERCICE 5

1. Sans boussole, on ne pourrait pas trouver son chemin.
2. Sans chapeau, on ne pourrait pas rester au soleil.
3. Sans hypothèque, on ne pourrait pas acheter cette maison.
4. Sans permis, on ne pourrait pas conduire une voiture.
5. Sans cuillère, on ne pourrait pas manger la soupe.
6. Sans œufs, on ne pourrait pas faire des crêpes.
7. Sans passeport, on ne pourrait pas voyager à l'étranger.
8. Sans canot, on ne pourrait pas traverser ce lac.

Leçon 5

XERCICE 1

1. Je ne vends que des ballons.
2. Je ne bois que de la bière.
3. Elle ne danse qu'avec lui.
4. Je n'ai qu'une raquette.
5. Je ne fais que des souliers.

XERCICE 2

1. Elle n'écrit qu'à sa mère.
2. Ils ne boivent que du café.
3. Je n'ai des problèmes qu'avec Jacques.
4. On ne parle que français.
5. Elle ne joue qu'au tennis.
6. Tu ne prends que l'avion.

XERCICE 3

1. Quand on est gourmand, on ne fait que manger.
2. Quand on est malade, on ne fait que dormir.
3. Quand on est désolé, on ne fait que s'excuser.
4. Quand on est petit, on ne fait que jouer.
5. Quand on est bavard, on ne fait que parler.
6. Quand on est retard, on ne fait que courir.
7. Quand on est heureux, on ne fait que chanter.

XERCICE 4

1. Cet artiste n'est connu qu'au Québec.
2. Ce restaurant n'est ouvert que le soir.
3. La neige n'est enlevée que de ce côté de la rue.
4. Cette émission n'est diffusée qu'en anglais.
5. Le chauffage n'est allumé qu'en novembre.
6. Ce produit n'est vendu qu'en pharmacie.

EXERCICE 5

1. toute
   Ils ne seront en vacances que lundi.
2. tout
   Elle ne travaillera qu'en juillet.
3. tout
   Ils n'achèteront que le lac.
4. toute
   Je ne repeindrai que la façade.
5. toute
   { Nous ne visiterons que l'Italie.
   { Je ne visiterai que l'Italie.
6. tout
   { Tu ne prépareras que le dessert.
   { Vous ne préparez que le dessert.
7. toute
   Nous n'inviterons que mes parents.
8. tout
   Il n'écrira que la préface.

EXERCICE 6

1. Il finit de travailler { aussi tard que Jean.
   { à la même heure que Jean.
2. L'hôtel de ville est { aussi vieux que la bibliothèque.
   { de la même année que la bibliothèque.
3. Vous avez vu le même film que moi.
4. Il a aussi peur qu'elle.
5. Pierre a { autant de frères que Suzanne.
   { le même nombre de frères que Suzanne.
6. Elle a les mêmes problèmes que toi.
7. Elles gagnent { autant d'argent que moi.
   { la même somme d'argent que moi.
8. Ils ont déménagé dans la même ville que vous.
9. Sa fille est aussi intelligente que la mienne.
10. Elle a commencé à travailler au même âge que toi.

EXERCICE 7

1. Une maison à Montréal coûte moins cher qu'à Toronto.
   Une maison à Toronto coûte plus cher qu'à Montréal.
2. Nous habitons moins haut que nos amis.
   Nos amis habitent plus haut que nous.
3. Jean travaille mieux que son frère.
   Le frère de Jean travaille moins bien que lui.
4. Hier soir, Louise est rentrée moins tard qu'avant-hier.
   Avant-hier, Louise est rentrée plus tard qu'hier.
5. Il lance le poids moins loin que le javelot.
   Il lance le javelot plus loin que le poids.
6. La Corvette roule moins vite que la Maserati.
   La Maserati roule plus vite que la Corvette.
7. En semaine, je me lève plus tôt que le dimanche.
   Le dimanche, je me lève moins tôt qu'en semaine.
8. Albert a plus d'enfants qu'Alfred.
   Alfred a moins d'enfants qu'Albert.

9. Mon mari chante mieux que moi.
   Je chante moins bien que mon mari.
10. J'aime mieux jouer au tennis qu'au golf.
    J'aime moins bien jouer au golf qu'au tennis.

EXERCICE 8

1. Il nage comme un poisson.
2. Il marche comme un canard.
3. Il mange comme un oiseau.
4. Il est gai comme un pinson.
5. Il est malin comme un singe.
6. Il est bavard comme une pie.
7. Il est fort comme un taureau.
8. Il est rusé comme un renard.
9. Il est sale comme un cochon.
10. Il est doux comme un agneau.
11. Il est aveugle comme une taupe.
12. Il est rouge comme une écrevisse.
13. Il est têtu comme une mule.
14. Il est vaniteux comme un paon.
15. Il est bête comme une oie.
16. Il est jaloux comme un tigre.

Leçon 6

EXERCICE 1

1. que tu perdes
2. qu'elle réussisse
3. qu'elle se marie
4. qu'il parte
5. qu'il revienne

EXERCICE 2

1. Il est important que vous écriviez au directeur.
2. Il est préférable que nous prenions un taxi.
3. Il est possible qu'il fasse beau demain.
4. Il est indispensable que tu saches nager.
5. Il est essentiel que je sois au rendez-vous à 6 heures.
6. Il est nécessaire que tu aies du courage.

EXERCICE 3

1. je ne suis pas sûr qu'elle la dise
2. je ne suis pas sûr qu'ils comprennent
3. je ne suis pas sûr que je me souvienne de lui
4. je ne suis pas sûr qu'elles la connaissent
5. { je ne suis pas sûr que vous puissiez partir
     je ne suis pas sûr que nous puissions partir
6. je ne suis pas sûr qu'elle soit invitée

EXERCICE 4

1. Émile désire que tu reçoives les enfants à Noël.
2. Paul regrette que vous partiez si tôt.
3. Gilles exige que nous participions à la réunion.
4. Normand souhaite que sa fille revienne au Québec.
5. Marie veut que tout le monde boive à ta santé.

EXERCICE 5

1. Il est normal qu'on soit fier de ses enfants.
2. Il est préférable qu'on sache nager quand on fait du bateau.
3. Il est rare qu'on réussisse quand on ne travaille pas.
4. Il est possible qu'on perde ses amis quand on déménage.
5. Il est insensé qu'on veuille mourir quand on a vingt ans.
6. Il est extraordinaire qu'on puisse voyager quand on est étudiant.

Leçon 7

EXERCICE 1

1. vendions... saurions
2. attendais... verrais
3. faisait... feraient
4. vouliez... pourrions
5. savais... irais
6. pouvaient... seraient

EXERCICE 2

1. Si j'avais le temps, je ferais du sport.
2. S'il ne pleuvait pas, nous irions à la campagne.
3. Si l'eau n'était pas froide, on se baignerait.
4. S'ils ne faisaient pas de bruit, vous pourriez travailler.
5. S'il n'avait pas mauvais caractère, il aurait des amis
6. S'il n'y avait pas beaucoup de monde, je serais sûr de la rencontrer.

EXERCICE 3

1. Si j'étais grand, je serais policier.
2. S'il neigeait, nous ferions du ski.
3. Si nous étions riches, nous aurions une belle voiture.
4. Si j'étais pauvre, je serais heureux.
5. Si j'étais libre, j'irais à la pêche.

EXERCICE 4

1. Si j'avais le temps, je viendrais ce soir, mais je suis trop occupé.
2. Si nous étions riches, nous ferions le tour du monde mais nous sommes sans le sou.
3. Si tu savais conduire, tu aurais une auto, mais tu es trop jeune.
4. Si elles prenaient des cours, elles sauraient nager, mais elles ont peur de l'eau.
5. S'il voulait travailler, il pourrait réussir, mais il est trop paresseux.
6. Si elle pouvait, elle viendrait vous voir, mais elle es malade.
7. Si nous étions voisins, nous nous verrions souvent, mais nous habitons trop loin.
8. Si j'avais ton âge, je ferais de la moto, mais je suis trop vieux.
9. Si tu étais tout à fait guéri, tu pourrais aller skier, mais tu es encore trop faible.
10. S'ils avaient une maison à la campagne, ils auraient un chien, mais ils habitent au centre-ville.

EXERCICE 1

1. Elle lui fait taper son courrier.
2. Il lui fait porter les valises.
3. Elle lui fait faire le ménage.
4. Il leur fait faire leurs devoirs.
5. Elle les fait chanter.

EXERCICE 2

1. Il les fait traverser.
2. Il leur fait traverser la rue.
3. Elle l'a fait manger.
4. Elle lui a fait manger la soupe.
5. Il/Elle les fera signer.
6. Il/Elle leur fera signer son bulletin.
7. Il les fait jouer.
8. Il leur fait jouer le morceau.
9. Il le fera lire.
10. Il lui fera lire la Bible.
11. Il le fait fumer.
12. Il lui fait fumer la pipe.
13. Elles les a fait chanter.
14. Elle leur a fait chanter des comptines.
15. Il l'a fait avouer.
16. Il lui a fait avouer son crime.

EXERCICE 3

1. fait tourner la tête
2. fait danser les jeunes
3. fait tomber les feuilles
4. fait rire les enfants
5. fait mourir les poissons
6. fait geler la rivière
7. déraper les voitures
8. fait verdir les gazons

EXERCICE 4

1. Elle se fait inviter.
2. Il se fait suivre.
3. Il se fait attaquer.

EXERCICE 5

1. { Faites-vous soigner.
   { Fais-toi soigner.
2. Fais-toi accompagner.
3. Faites-vous rembourser.
4. Faites-vous photographier.

EXERCICE 6

1. { Fais attendre les journalistes.
   { Faites attendre les journalistes.
   { Fais-les attendre.
   { Faites-les attendre.
2. Faites asseoir la malade.
   Faites-la asseoir.
3. Faites dormir les enfants.
   Faites-les dormir.

EXERCICE 1

1. Elle est partie à la ville.
2. Elle est entrée dans le monde du spectacle.
3. Elle est montée sur la scène.
4. Elle est devenue célèbre
5. Elle est parvenue au sommet.
6. Elle est descendue très bas.
7. Elle est tombée dans l'oubli.
8. Elle est revenue au pays.
9. Elle est morte dans la misère.

EXERCICE 2

1. J'ai perdu mes clés. Je les ai perdues.
2. J'ai invité mes amies. Je les ai invitées.
3. J'ai éteint les lumières. Je les ai éteintes.
4. J'ai écrit mes mémoires, je les ai écrites.
5. J'ai quitté ma famille. Je l'ai quittée.
6. J'ai fait mes valises. Je les ai faites.

EXERCICE 3

1. Est-ce qu'il a détruit les preuves?
   – Oui, il les a détruites.
2. Est-ce qu'il a appris la nouvelle?
   – Oui, il l'a apprise.
3. Est-ce qu'il a découvert la vérité?
   – Oui, il l'a découverte.
4. Est-ce qu'il a traduit cette pièce?
   – Oui, il l'a traduite.
5. Est-ce qu'il a inscrit sa date de naissance?
   – Oui, il l'a inscrite.
6. Est-ce qu'il a fait sa déclaration d'impôt?
   – Oui, il l'a faite.
7. Est-ce qu'il a commis ces erreurs?
   – Oui, il les a commises.
8. Est-ce qu'il a soumis sa candidature?
   – Oui, il l'a soumise.
9. Est-ce qu'il a pris ses dispositions?
   – Oui, il les a prises.
10. Est-ce qu'il a remis ses notes de cours?
    – Oui, il les a remises.

EXERCICE 4

1. Des recherches? – Oui, j'en ai fait.
   Ces recherches? – Oui, je les ai faites.
2. Des batailles? – Oui, j'en ai perdu.
   Ces batailles? – Oui, je les ai perdues.
3. Des invitations? – Oui, j'en ai reçu.
   Ces invitations? – Oui, je les ai reçues.
4. Des recettes? – Oui, j'en ai essayé.
   Ces recettes? – Oui, je les ai essayées.
5. Des difficultés? – Oui, j'en ai rencontré.
   Ces difficultés? – Oui, je les ai rencontrées.
6. Des critiques? – Oui, j'en ai lu.
   Ces critiques? – Oui, je les ai lues.
7. Des propositions? – Oui, j'en ai refusé.
   Ces propositions? – Oui, je les ai refusées.
8. Des réactions? – Oui, j'en ai étudié.
   Ces réactions? – Oui, je les ai étudiées.

Leçon 10

EXERCICE 1

1. Les moines chantent les litanies.
   Les litanies sont chantées par les moines.
2. Les Allemands fabriquent les Mercedes.
   Les Mercedes sont fabriquées par les Allemands.
3. Les Alliés lancent le satellite.
   Le satellite est lancé par les Alliés.
4. Le juge interroge l'accusé.
   L'accusé est interrogé par le juge.
5. La foule envahit la place publique.
   La place publique est envahie par la foule.
6. L'assistance applaudit l'orateur.
   L'orateur est applaudi par l'assistance.
7. Le jury choisit les lauréats.
   Les lauréat sont choisis par le jury.
8. L'assemblée adopte la résolution.
   La résolution est adoptée par l'assemblée.

EXERCICE 2

1. Le gagnant a été récompensé.
2. Le record a été battu.
3. Le problème a été identifié.
4. Les droits ont été reconnus.
5. L'injustice a été dénoncée.
6. Les suspects ont été interrogés.

EXERCICE 3

1. La banque a été dévalisée.
2. Les survivants ont été retrouvés.
3. Le château a été reconstruit.
4. La nouvelle route a été ouverte.
5. La fille du milliardaire a été enlevée.
6. Ses dernières toiles ont été beaucoup appréciées.
7. L'ancien record du marathon a été amélioré.
8. Son film a été diffusé à travers tout le Canada.

EXERCICE 4

1. On ramasse les feuilles mortes à l'automne.
   Les feuilles mortes se ramassent à l'automne.
2. On n'apprend pas facilement le violon.
   Le violon ne s'apprend pas facilement.
3. On lave à la main les tissus délicats.
   Les tissus délicats se lavent à la main.
4. On vend le bois à la corde.
   Le bois se vend à la corde.
5. On mange les fraises même en hiver.
   Les fraises se mangent même en hiver.
6. On porte les manteaux de fourrure même dans le Sud.
   Les manteaux de fourrure se portent même dans le Sud.
7. On offre les chocolats surtout à Noël.
   Les chocolats s'offrent surtout à Noël.
8. On laboure les champs au printemps.
   Les champs se labourent au printemps.
9. On parle encore le français en Louisiane.
   Le français se parle encore en Louisiane.
10. On cuit le rôti de bœuf au four.
    Le rôti de bœuf se cuit au four.

Leçon 11

EXERCICE 1

1. Chaque chose à sa place.
2. À chaque jour suffit sa peine.
3. Autre temps, autres mœurs.
4. Tous les moyens sont bons.
5. Tel maître, tel valet.
6. Tous les goûts sont dans la nature.
7. Chaque chose en son temps.
8. Tous les hommes sont mortels.
9. À chaque saison, sa moisson.

EXERCICE 2

1. chaque ... { plusieurs / quelques }
2. { plusieurs / quelques }
3. { plusieurs / certains }
4. { quelques / plusieurs } ...aucun
5. autres... mêmes
6. chaque... telle

EXERCICE 3

1. Aucun combattant ne manquait à l'appel.
2. { Certains / Quelques / Plusieurs } poètes sont aussi romanciers.
3. Chaque âge a ses plaisirs.
4. Il y avait parmi les invités { quelques / plusieurs } Chinois.
5. Je préférerais vous revoir dans d'autres conditions.
6. Il me faut un fusil et quelques chiens.
7. Dans une même situation, je ferais comme lui.
8. Il ne lui reste que quelques sous.
9. Une telle méchanceté m'étonne.
10. Toute la famille se réunissait à Noël.
11. Chaque fois que je le vois, je le trouve vieilli.
12. Il a répété votre nom à { quelques / plusieurs } reprises.

EXERCICE 4

1. prendront l'avion
2. descendront en voiture
3. se rendront à Disneyworld
4. visiteront le centre spatial
5. iront à la pêche
6. profiteront de la plage

EXERCICE 5

1. Tous
   Aucun n'est revenu.
2. Tous
   Aucun ne s'est plaint.
3. Toutes
   Aucune n'est revenue.
4. Tous
   Aucun n'a été sauvé.
5. Toutes
   Aucune n'a été acceptée.
6. Tous
   Aucun n'a parlé.

EXERCICE **6**

1. quelqu'un
2. toutes
3. personne
4. quelqu'un... quelque chose
5. aucun
6. L'un... l'autre
7. rien
8. quelque chose
9. {plusieurs / la plupart} ... {la plupart / plusieurs}

EXERCICE **7**

1. Mon père est quelqu'un d'extraordinaire.
2. Ils ont été attaqués par quelqu'un de très violent.
3. La porte a été ouverte par quelque chose de pointu.
4. Elle a quelque chose de passionnant à te raconter.

EXERCICE **8**

1. Je ne connais personne d'aussi célèbre.
2. Elles ne commettent jamais rien d'illégal.
3. Nous n'avons jamais rencontré quelqu'un d'aussi sympathique.
4. Il ne dit jamais rien d'intéressant.
5. Je n'ai jamais vu quelqu'un d'aussi stupide.
6. Ils n'ont jamais élu quelqu'un d'aussi compétent.

Leçon 12

EXERCICE **1**

1. Je suis le plus petit.
2. Je suis la plus applaudie.
3. Je suis la moins rapide.

EXERCICE **2**

1. est le pays le plus grand
   Le Canada est le plus grand des pays.
2. est le pays le plus peuplé
   La Chine est le plus peuplé des pays.
3. est le fleuve le plus long
   Le Nil est le plus long des fleuves.
4. est la montagne la plus haute
   L'Éverest est la plus haute des montagnes.
5. est le mois le plus froid
   Le mois de janvier est le plus froid des mois.
6. est l'animal le plus lent
   La tortue est le plus lent des animaux.

EXERCICE **3**

1. Ce sont les filles qui chantent le mieux.
2. C'est lui qui boit le plus.
3. Ce sont les femmes qui dépensent le plus.

EXERCICE **4**

1. C'est l'animal le plus peureux que je connaisse.
2. C'est l'homme le plus distrait que je connaisse.
3. C'est la conférencière la plus intéressante que je connaisse.
4. C'est l'homme le plus orgueilleux que je connaisse.
5. C'est la fille la plus stupide que je connaisse.

EXERCICE **5**

1. le pire
2. le meilleur
3. le plus
4. le meilleur
5. le mieux
6. le plus
7. la pire
8. le mieux
   le meilleur
9. les meilleures
10. les meilleures
11. le moins
12. la pire
13. le moins
    le plus
14. la meilleure
15. le plus
16. le meilleur
17. la plus
18. la moins
19. le mieux
20. le meilleur

Leçon 13

EXERCICE **1**

1. Elles m'en ont raconté une bonne.
2. Il en a choisi des rouges.
3. Nous en avons deux à l'université.
4. J'en voudrais une de l'année.
5. Il en a mis un à carreaux.
6. Elle en a commandé une à la vanille.
7. Il m'en a donné un de plus.
8. Elle en a pris plusieurs.
9. Nous leur en avons gardé beaucoup.
10. Vous nous en avez servi un trop sucré.
11. Elle en a apporté une douzaine.
12. Tu lui en as acheté un trop petit.

EXERCICE **2**

1. Nous avons fait le tour de la ville.
   Nous en avons fait le tour.
2. J'ai écrit la préface de ce livre.
   J'en ai écrit la préface.
3. Elle a raconté l'histoire de sa vie.
   Elle en a raconté l'histoire.
4. Tu as imaginé la suite de l'histoire.
   Tu en as imaginé la suite.
5. Ils ont deviné la fin du film.
   Ils en ont deviné la fin.

EXERCICE **3**

1. Oui, je m'en doutais.
2. Oui, elle s'en étonne.
3. Oui, nous nous en sommes aperçus.
4. Oui, il s'en occuperont.
5. Oui, je m'en excuse.
6. Oui, elles s'en servent.

EXERCICE 4

1. Je m'intéresse aux nouvelles technologies.
   Je m'y intéresse.
2. Je me dévoue aux causes perdues.
   Je m'y dévoue.
3. Je me fie à son bon jugement.
   Je m'y fie.
4. Je m'habitue à vivre ainsi.
   Je m'y habitue.
5. Je m'attends aux pires catastrophes.
   Je m'y attends.

EXERCICE 5

1. à ... j'y tiens
2. de... elles s'en excusent
3. de... je m'en étonne
4. à... nous y pensons
5. à... elle y renonce
6. de... tu t'en doutes
7. à... ils y réfléchissent
8. de... je m'en réjouis

Leçon 14

EXERCICE 1

1. Elle expliquera la leçon à sa sœur.
   Elle la lui expliquera.
2. Elle confiera cette tâche à son associé.
   Elle la lui confiera.
3. Elle demandera de l'aide aux autorités.
   Elle leur en demandera.
4. Elle remboursera l'argent à ses créanciers.
   Elle le leur remboursera.
5. Elle promettra une récompense au vainqueur.
   Elle lui en promettra une.
6. Elle laissera un pourboire au serveur.
   Elle lui en laissera un.

EXERCICE 2

1. J'ai demandé leur nom aux nouveaux élèves.
   Je le leur ai demandé.
2. J'ai emprunté la voiture à mes parents.
   Je la leur ai empruntée.
3. J'ai laissé les clés au concierge.
   Je les lui ai laissées.
4. J'ai recommandé ce film à mes amis.
   Je le leur ai recommandé.

EXERCICE 3

1. Ils me l'avanceraient.
2. Ils nous le demanderaient.
3. Il me la prêterait.
4. Vous la lui présenteriez.
5. Tu les leur transmettrais.

EXERCICE 4

1. Il le lui apporte.
2. Il lui en apporte.
3. Il les leur remet.
4. Il leur en remet.
5. Elle la leur raconte.
6. Elle leur en raconte.
7. Il le leur distribue.
8. Il leur en distribue.

EXERCICE 5

1. Dis-le-moi!
2. Serre-la-moi!
3. Accordez-la-moi!

EXERCICE 6

1. Ne lui en prenez pas.
2. Ne leur en achetez pas.
3. Ne le lui fais pas.
4. Ne les lui apporte pas.
5. Ne lui en donnez pas.
6. Ne le leur demandez pas.

Leçon 15

EXERCICE 1

1. Il mettait le feu...
2. Elle l'embrassait...
3. Elle portait les valises...
4. Elle pleurait...
5. Il se cachait...

EXERCICE 2

1. allions... faisait beau
2. trembliez... se mettait
3. éclatait... grondait
4. riait... racontait
5. hurlait... voyait
6. prenait... se rendait
7. était... buvait
8. rougissait... interrogeait

EXERCICE 3

1. Quand elle chantait, tout le monde pleurait.
2. Quand la première neige tombait, la ville était paralysée.
3. Quand les enfant venaient souper, je leur faisais un gâteau.
4. Quand je partais au chalet, je laissais mon chat au voisin.
5. Quand nous sortions le samedi soir, ma sœur venait garder les enfants.
6. Quand la rivière était gelée, nous allions y patiner.

EXERCICE 4

1. Quand nous avions dix ans, nous jouions du piano ensemble.
2. Quand nous avions vingt ans, nous étions amoureux de la même fille.
3. Quand nous avions trente ans, nous étions ambulanciers au même endroit.
4. Quand nous avions soixante ans, nous faisions de la bicyclette ensemble.

Leçon 16

EXERCICE 1

1. Elle s'est fait mal en jouant au tennis.
2. Elle s'est réveillée en entendant le coq.
3. Il a pleuré en épluchant les oignons.
4. Il s'est échappé en sciant les barreaux.
5. Elle a trouvé du pétrole en creusant son jardin.

EXERCICE 2

1. C'est en traversant la rue...
2. C'est en travaillant...
3. C'est en faisant du sport...
4. C'est en se baignant...
5. C'est en grandissant...
6. C'est en courant...
7. C'est en souriant...
8. C'est en voyageant...

EXERCICE 3

1. Vous pourriez être remboursés en écrivant au directeur.
2. Elle prenait un verre en préparant le repas.
3. En étant sages, nous étions sûrs d'être récompensés.
4. C'est en arrivant chez lui qu'il a eu une crise cardiaque.
5. En cherchant bien, ils ont sûrement trouvé la maison.
6. On prend du poids en ne faisant plus d'exercice.
7. Ils apprennent l'anglais en voyageant aux États-Unis.
8. Il s'est fait arrêter en passant la frontière.
9. Tu pourrais encore réussir en travaillant.
10. Elle a aperçu un requin en se baignant.

EXERCICE 4

1. Il s'est tué en tombant de cheval.
2. Il est parti à la guerre en chantant.
3. Il a rencontré sa femme en passant une annonce.
4. Il a trouvé un emploi en lisant le journal.
5. Il a perdu ses amis en déménageant.
6. Il a laissé une fortune en mourant.
7. Il a perdu ses cheveux en vieillissant.
8. Il a protégé le coupable en se taisant.
9. Il s'est ruiné en achetant ce domaine.
10. Il est devenu célèbre en composant des chansons.
11. Il a obtenu un rendez-vous en insistant.
12. Il est tombé malade en buvant cette eau.

Leçon 17

EXERCICE 1

1. Tu t'es souvenue de ma fête!
2. On s'entend bien.
3. Nous nous rendons.
4. Elle se plaint toujours.
5. Il s'est évanoui.

EXERCICE 2

1. Elle s'est assise.
2. Elles se sont attendues.
3. Elle s'est tue.
4. Elle s'est endormie.
5. Ils se sont suivis.
6. Elles se sont comprises.
7. Elle s'est évanouie.
8. Ils se sont revus.
9. Ils se sont entendus.
10. Elles se sont reconnues.

EXERCICE 3

1. Ne vous asseyez pas!
2. Suivons-nous!
3. Souviens-toi!
4. Taisez-vous!
5. Ne nous plaignons pas!
6. Ne t'évanouis pas!
7. Rendez-vous!
8. Sers-toi!

EXERCICE 4

1. Ils se sont plaints de la chaleur.
2. Ils se sont permis de lui téléphoner.
3. Ils se sont aperçus de sa disparition.
4. Ils se sont rendu compte de leurs erreurs.
5. Ils se sont servis de ma voiture.
6. Ils se sont enfuis de la prison.

EXERCICE 5

1. Elle s'en plaint.
2. Elle s'en souvient.
3. Elle s'en rend compte.
4. Elle s'en sert.

Leçon 18

EXERCICE 1

1. Quand j'aurai gagné, je recevrai une médaille.
2. Quand nous aurons remporté la victoire, nous fêterons.
3. Quand j'aurai découvert le trésor, je serai riche.

EXERCICE 2

1. Tu récolteras ce que tu auras semé.
2. Tu donneras ce que tu auras trouvé.
3. Tu chercheras ce que tu auras perdu.
4. Tu reconstruiras ce que tu auras détruit.
5. Tu recommenceras ce que tu auras bâclé.
6. Tu décriras ce que tu auras vu.

EXERCICE 3

1. Quand elle aura fini sa couture.
2. Quand ils l'auront bien brossé.
3. Quand ils seront guéris.
4. Quand elle n'aura plus de plâtre.
5. Quand il sera libéré.

EXERCICE 4

1. Je te féliciterai quand tu auras réussi.
2. Je me marierai quand j'aurai fini mes études.
3. Je me reposerai quand je serai arrivé/arrivée au but.
4. Je partirai quand j'aurai réparé la voiture.
5. Je jouerai quand j'aurai appris mes leçons.
6. Je rentrerai quand j'aurai fait les courses.
7. Je me sentirai mieux quand j'aurai perdu du poids.

EXERCICE 5

1. sera... aura dormi
2. ferez... dormira
3. m'habillerai... aurai pris
4. me laverai... prendrai
5. auras... auras mangé
6. mangeras... auras

Leçon 19

EXERCICE 1

1. Je mange n'importe quand.
2. Il dit n'importe quoi.
3. Il s'habille n'importe comment.
4. Donnez-moi n'importe quel pantalon.
5. Elle ne se prend pas pour n'importe qui.

EXERCICE 2

1. { Interviens / Intervenez } n'importe quand.
2. { Asseyez-vous / Asseyons-nous } n'importe où.
3. { Servez-moi / Servez-nous / Sers-moi / Sers-nous } n'importe quoi.
4. { Écris-le / Écrivez-le } n'importe comment.
5. { Appelez-moi / Appelez-nous } à n'importe quelle heure.

EXERCICE 3

1. Il est écrit n'importe comment.
2. Il dit n'importe quoi.
3. Il ferait n'importe quel travail.
4. Elle s'habille n'importe comment.
5. Vous pouvez partir n'importe quand.
6. Ils aiment voyager n'importe où.
7. Nous aimons n'importe quel sport.
8. Il peut téléphoner à n'importe quelle heure.

Leçon 20

EXERCICE 1

1. a vu
2. as expliqué
3. faisais
4. avez déménagé
5. dormaient
6. est arrivée
7. travaillais
8. a appris
9. habitait
10. a éclaté

EXERCICE 2

1. Quand je les ai vus, ils s'embrassaient.
2. J'étais en train de descendre les ordures quand je suis tombé.
3. Nous étions en train de regarder la télé quand un voleur est passé par la fenêtre.
4. Quand il est sorti, je suis entrée.
5. Il a tiré quand il est entré.

EXERCICE 3

1. répondez
2. a
3. pouvais
4. sera
5. aimerait
6. voyaient
7. serait
8. reviendrai

EXERCICE 4

1. viendrais
2. m'en vais
3. pourriez
4. peux/pourras
5. prends/prendras
6. serais

Lexique

Table des matières